The LITTLE BLACK BOOK *of* 60s Hits

Published by
Wise Publications
14-15 Berners Street, London W1T 3LJ, United Kingdom.
Exclusive distributors:
Music Sales Limited
Distribution Centre,
Newmarket Road, Bury St Edmunds, Suffolk, IP33 3YB, United Kingdom.
Music Sales Pty Limited
20 Resolution Drive, Caringbah, NSW 2229, Australia.

Order No. AM996402
ISBN 978-1-84772-915-6

Compiled by Nick Crispin.
Edited by Adrian Hopkins.
Music processed by Paul Ewers Music Design.
Cover designed by Michael Bell Design.

Printed in China.

www.musicsales.com

Wise Publications
part of The Music Sales Group

London / New York / Paris / Sydney / Copenhagen / Berlin / Madrid / Tokyo

All Or Nothing

Words & Music by Steve Marriott & Ronnie Lane

D　Dsus4　A　G　B

Intro　|: D　Dsus4　D | D　Dsus4　D :|

Verse 1

A　　　　　　　　　　　　　　　　D　　　Dsus4 D Dsus4 D
I thought you'd listen to my reason
A　　　　　　　　　　　　D　　Dsus4 D A
But now I see you don't hear a thing
G　　　　　　　　　　D
Tryin' to make you see
A
How it's got to be
　　　　　D
Yes if it's all right.

Chorus 1

Dsus4 D
All______ or nothing
B
All or nothing
G
All or nothing for me.

|: D　Dsus4　D | D　Dsus4　D :|

Verse 2

A　　　　　　　　　　　　　　　　D　　　Dsus4 D Dsus4 D
Things could work out just like I want them to
A　　　　　　　　　　　　D　Dsus4 D A
If I could have the other half of you
G　　　　　　　　D
You know I would
A
If I only could
　　　　D
Yes it's, yeah.

```
           Dsus4 D
Chorus 2   All____ or nothing
           B
           All or nothing
           G
           All or nothing for me.

           ||: D  Dsus4 D | D  Dsus4 D :||

           A
Verse 3    Ba, ba, ba, ba-da
                  D          Dsus4 D Dsus4 D
           Ba, ba, ba-da, ba
           A
           Ba, ba, ba, ba-da
                  D          Dsus4 D A
           Ba, ba, ba-da, ba
           G                          D
           I ain't telling you no lie girl
           A                                  D
           So don't just sit there and cry girl.

           Dsus4 D
Chorus 3   All____ or nothing
           B
           All or nothing
           G
           All or nothing
                       A
           Gotta, gotta, gotta keep on trying
           D              A
           All or nothing
           B
           All or nothing
           G
           All or nothing
              A                D
           For me, for me, for me.

           Dsus4 D
Chorus 4   All____ or nothing
           B
           All or nothing
           G
           All or nothing for me.

           | D  Dsus4 D | D  Dsus4 D | D  Dsus4 D | D        ||
```

All You Need Is Love

Words & Music by John Lennon & Paul McCartney

G D C D7 Em7 D7/A

D7/F♯ D7/E D/C D/F♯ A7 B7 Em

Intro | G D | G | C D7 ||

```
G       D      Em7
Love, love, love,
G       D      Em7
Love, love, love,
D7/A  G     D7/F♯  D7/E
Love, love, love.

| D   D/C | D        ||
```

Verse 1

```
G                              D/F♯              Em7
   There's nothing you can do that can't be done,
G                       D/F♯                Em7
   Nothing you can sing that can't be sung,
D7/A                    G
   Nothing you can say,
                  D/F♯                 D7/E
But you can learn how to play the game,
     D    D/C    D
It's easy.
```

Verse 2

```
G                       D/F♯                  Em7
   Nothing you can make that can't be made,
G            D/F♯                  Em7
   No-one you can save that can't be saved,
D7/A                    G
   Nothing you can do,
                D/F♯                      D7/E
But you can learn how to be you in time,
     D    D/C    D
It's easy.
```

```
             G         A7      D     D7
Chorus 1       All you need is love,
             G         A7      D     D7
               All you need is love,
             G         B7      Em    Em7
               All you need is love, love,
             C         D7            G
               Love is all you need.


             G      D      Em7
Link         (Love, love, love,)
             G      D      Em7
             (Love, love, love,)
             D7/A   G      D7/F#   D7/E
             (Love, love, love.)

             | D   D/C  | D          ||


Chorus 2     As Chorus 1

             G                  D/F#                      Em7
Verse 3        There's nothing you can know that isn't known,
             G                      D/F#                  Em7
               There's nothing you can see that isn't shown,
             D7/A                     G
               There's nowhere you can be
                       D/F#                     D7/E
             That isn't where you're meant to be,
                D     D/C    D
             It's easy.


Chorus 3     As Chorus 1


Chorus 4     As Chorus 1

             G
Coda         Love is all you need.

             (Love is all you need.)
               (G)
             |: Love is all you need.

             (Love is all you need.)  :|   Repeat to fade
```

Born To Be Wild

Words & Music by Mars Bonfire

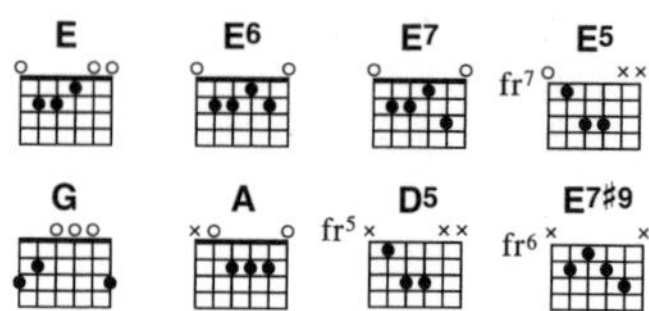

Intro | 𝄆 E | E E6 E7 | E | E E6 E7 𝄇

```
              E5                        E6  E7
*Verse 1*     Get your motor running,
              E5                        E6  E7
              Head out on the highway,
              E5                        E6  E7
              Looking for adventure
              E5                             E6  E7
              And whatever comes our way.
```

```
              G       A            E7
Pre-chorus 1    Yeah, darling, go and make it happen,
              G          A       E7
                Take the world in a love embrace,
              G      A       E7
                Fire all of your guns at once and
              G    A      E7
                Explode into space.
```

```
              E5                        E6  E7
Verse 2       I like smoke and lightning,
              E5                        E6  E7
              Heavy metal thunder.
              E5                        E6  E7
              Racing with the wind
                     E5                      E6  E7
              And the feeling that I'm under.
```

Pre-chorus 2 As Pre-chorus 1

Chorus 1

```
        E
Like a true Nature's child
              G
We were born, born to be wild.
            A
We can climb so high,
G                    E5
   I never want to die.
E5           D5     E5   D5
Born to be wild.
E5           D5     E5   D5
Born to be wild.
```

Organ solo

```
|: E      | E      | E      | E      :|

|: E7#9   | E7#9   | E7#9   | E7#9   :|

| E       | E      | E      | E      | E N.C.   | N.C.    ||
                                        Drum fill
```

Verse 3 As Verse1

Pre-chorus 3 As Pre-chorus 1

Chorus 2 As Chorus 1

Coda

```
E5           D5     E5   D5
Born to be wild.
E5           D5     E5   D5
Born to be wild.

|: E      | E      | E      | E      :|

| E7#9    | E7#9   | E7#9   | E7#9   | E7#9    ||
                                       Fade out
```

A Boy Named Sue

Words & Music by Shel Silverstein

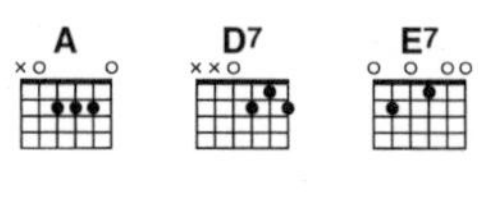

Capo first fret

Intro | A | A | A | A ||

Verse 1

Well my daddy left home when I was three
                    D7
And he didn't leave much to ma and me,
    E7   A
Just this old guitar and an empty bottle of booze.

Now, I don't blame him 'cause he run and hid
           D7
But the meanest thing that he ever did
        E7   A | A |
Was be - fore he left, he went and named me "Sue."

Verse 2

Well, he must o' thought that it was quite a joke
         D7
And it got a lot of laughs from a' lots of folk,
  E7   A
It seems I had to fight my whole life through.

Some gal would giggle and I'd get red
     D7
And some guy'd laugh and I'd bust his head,
  E7   A | A |
I tell ya, life ain't easy for a boy named "Sue."

Verse 3

Well, I grew up quick, and I grew up mean,
D7
My fist got hard and my wits got keen,
E7 A
I'd roam from town to town to hide my shame.

But I made me a vow to the moon and stars
D7
That I'd search the honky-tonks and bars
E7 A
And kill that man that gave me that awful name.

Verse 4

Well, it was Gatlinburg in mid-July
D7
And I just hit town and my throat was dry,
E7 A
I thought I'd stop and have myself a brew.

At an old saloon on a street of mud,
D7
There at a table, dealing stud,
E7 A
Sat the dirty, mangy dog that named me "Sue."

Verse 5

Well, I knew that snake was my own sweet dad
D7
From a worn-out picture that my mother'd had,
E7 A
And I knew that scar on his cheek and his evil eye.

He was big and bent and grey and old,
D7
And I looked at him and my blood ran cold
E7 A
And I said: "My name is "Sue!" How do you do!

Now you gonna die!"

Yeah, that's what I told him!

Verse 6

Well, I hit him hard right between the eyes
D7
And he went down, but to my surprise,
E7 A
He come up with a knife and cut off a piece of my ear.

But I busted a chair right across his teeth
D7
And we crashed through the wall and into the street
E7 A
Kicking and a' gouging in the mud and the blood and the beer.

Verse 7

I tell ya, I've fought tougher men
D7
But I really can't remember when,
E7 A
He kicked like a mule and he bit like a croco - dile.

I heard him laugh and then I heard him cuss,
D7
He went for his gun and I pulled mine first,
E7 A
He stood there lookin' at me and I saw him smile.

Verse 8

And he said: "Son, this world is rough
D7
And if a man's gonna make it, he's gotta be tough
E7 A
And I knew I wouldn't be there to help you a - long.

So I give you that name and I said goodbye
D7
I knew you'd have to get tough or die
E7 A
And it's the name that helped to make you strong." Yeah.

Verse 9

He said: "Now you just fought one hell of a fight
      D7
And I know you hate me, and you got the right
   E7   A
To kill me now, and I wouldn't blame you if you do.

But you ought to thank me, before I die,
           D7
For the gravel in ya guts and the spit in ya eye
       E7   A
Cause I'm the son-of-a-bitch that named you "Sue."

Verse 10

Yeah what could I do, what could I do?
D7   E7
   I got all choked up and I threw down my gun
      D7
And I called him my pa, and he called me his son,
      E7   A
And I come away with a different point of view.

And I think about him, now and then,
      D7   E7
Every time I try and every time I win,
                                   N.C.
And if I ever have a son, I think I'm gonna name him
                                               A
Bill or George! Anything damn thing but Sue! I still hate that name!

Cathy's Clown

Words & Music by Don Everly

G D Em C

```
Intro      | G   D  | G   D  | G   D  ||

           G  N.C.              G      D G  D     G   D
Chorus 1      Don't want your love _______ anymore,
           G       D           G  D  G  D         G     D
             Don't want your ki  - -  sses, that's for  sure.
           G  D        Em              C        D
             I die each time I hear this  sound:
            N.C.      G      D  G         D        G      D G
           "Here he comes, ______ that's Cathy's clown."

           N.C.                G    C  G              C         G     C
Verse 1    I've gotta stand tall,        you know a man can't crawl,
           G                   C
             But when he knows you're telling lies
                     Em                   C
           And he hears them passing by
                   D         G    C  G
           He's not a man at all.

           N.C.                G     D  G  D     G   D
Chorus 2   Don't want your love _______ anymore,
           G       D           G  D  G  D         G     D
             Don't want your ki  - -  sses, that's for  sure.
           G  D        Em              C        D
             I die each time I hear this  sound:
            N.C.      G      D  G         D        G      D G
           "Here he comes, ______ that's Cathy's clown."
```

Verse 2

```
N.C.                            G    C
When you see me shed a tear
G                C                  G     C
   And if you know that it's sincere _____
G                    C
   Now don't you think it's kinda sad
               Em              C
That you're treating me so bad
    D                  G        C  G
Or don't you even   care?
```

Chorus 3

```
N.C.                    G      D  G   D      G     D
Don't want your love _______ anymore,
G          D            G   D   G  D          G       D
   Don't want your ki  -  -  sses, that's for   sure.
G   D         Em               C          D
   I die each time I hear this   sound:
 N.C.        G        D  G          D         G          D  G
"Here he comes, ______ that's Cathy's clown."
```

Coda

```
                D        G          D     G
|: "That's Cathy's clown."                 :|   Repeat to fade
```

Dance To The Music

Words & Music by Sylvester Stewart

Intro

G
Dance, get on up and dance to the music!

Get on up and dance to the music!

Link 1 | G F | C | G F | C ||

Chorus 1

G C/G
Dance to the music,
G C/G
Dance to the music,
G C/G
Dance to the music,
G C/G
Dance to the music,

Hey Greg! What?

Verse 1

G C/G
All we need is a drummer,
G C/G
For people who only need a beat, yeah.

| *Drums for 4 bars* ||

Verse 2

(G) (C/G)
I'm gonna add a little guitar
(G) (C/G)
And make it easy to move your feet.

| *Guitar for 4 bars* ||

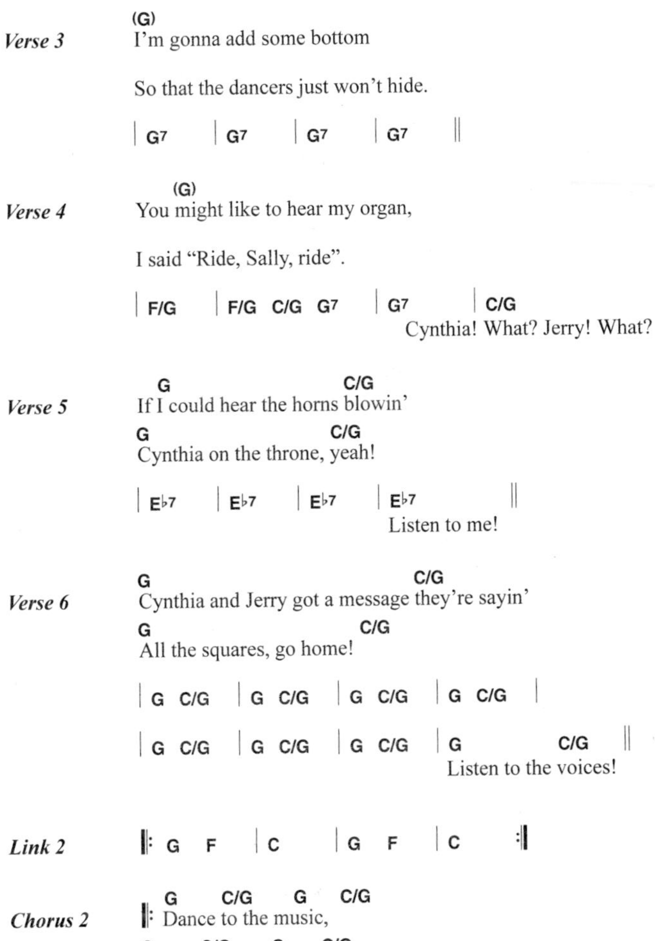

Verse 3

(G)
I'm gonna add some bottom

So that the dancers just won't hide.

| G7 | G7 | G7 | G7 ||

Verse 4

(G)
You might like to hear my organ,

I said "Ride, Sally, ride".

| F/G | F/G C/G G7 | G7 | C/G ||
Cynthia! What? Jerry! What?

Verse 5

G C/G
If I could hear the horns blowin'
G C/G
Cynthia on the throne, yeah!

| E♭7 | E♭7 | E♭7 | E♭7 ||
Listen to me!

Verse 6

G C/G
Cynthia and Jerry got a message they're sayin'
G C/G
All the squares, go home!

| G C/G | G C/G | G C/G | G C/G |

| G C/G | G C/G | G C/G | G C/G ||
Listen to the voices!

Link 2

|: G F | C | G F | C :|

Chorus 2

G C/G G C/G
|: Dance to the music,
G C/G G C/G
Dance to the music. :| *Repeat to fade*

Delta Lady

Words & Music by Leon Russell

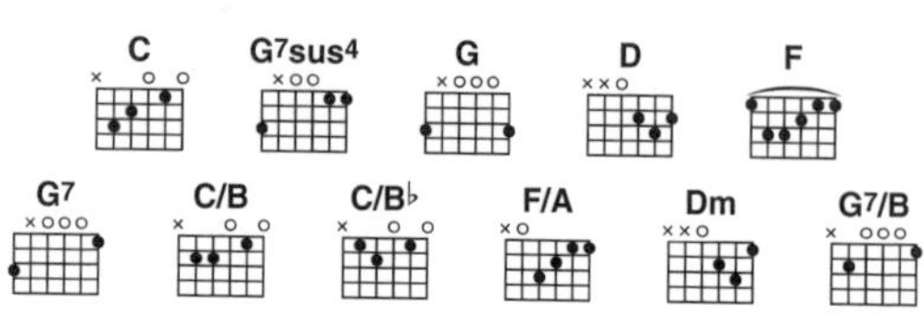

Intro | Em9 | Em9 | Em9 | Em9 ||

Verse 1

```
C                                  D    F
Woman of the country now that I found you
C7
Longing in your soft and fertile delta
                         C/B          C/B♭    F/A
And I whisper sighs to satisfy your longing
        C                    G7        C
For the warmth and tender shelter of my body
```

Chorus 1

```
           B♭             F          C
Oh, you're mine, yes you're mine delta lady
           B♭        F
Yes, you're mine, be all mine
      C    G7sus4
Delta lady
```

Verse 2

```
C                                     D    F
Please don't ask how many times I found you
C7
Standing wet and naked in the garden

And I think of the days
         C/B          C/B♭    F/A
And the different ways I held you
         C                G7                 C
We were closely touching, yes our heart was beating
```

Chorus 2

B♭ F C
Oh, you're mine, yes you're mine delta lady

B♭ F
And, you're mine, be all mine

C G7sus4
Delta lady

Bridge

Dm G7/B Dm B♭
Oh___ when I'm home a - gain in England

F
I think of you, love

C G7sus4 C G
Because, I love you, love

Verse 2

C D F
There are concrete mountains in the ci - ty

C7
And pretty city women live inside them

C C/B C/B♭ F/A
Hey, and yet it seems the city scene is lacking

C G7 C
I'm so glad you're waiting for me in the country

Chorus 3

B♭ F C
𝄆 Oh, you're mine, yes you're mine delta lady

B♭ F
Said, you're mine, be all mine

C
Delta lady 𝄇 *Repeat ad lib. to fade*

Dizzy

Words & Music by Tommy Roe & Freddy Weller

Intro | D G | C G | D G | C G | D N.C. | N.C. ||
Drum fill

Chorus 1

```
D      G B        E     A          B          B7
Dizzy,       I'm so dizzy my head is spinning:
      E         A        B
Like a whirlpool it never ends,
B7         E         A           B
   And it's you girl making it spin.
          B7          F      B♭  | C    B♭  ||
You're making me dizzy.
```

Verse 1

```
F                    B♭
First time that I saw you girl
 C                   B♭                  F     B♭  | C    B♭  ||
I knew that I just had to make you mine,
    F                   B♭
But it's so hard to talk to you
     C                B♭                  F     B♭  | C    B♭  ||
With fellas hanging round you all the time.
C
I want you for my sweet pip
    B♭
But you keep playing hard to get:
    F                           A
I'm going round in circles all the time.
```

Chorus 2

D G B E A B B7
Dizzy, I'm so dizzy my head is spinning:
E A B
Like a whirlpool it never ends,
B7 E A B
And it's you girl making it spin.
B7 F B♭ | C B♭ ||
You're making me dizzy.

Link 1

| F B♭ | C B♭ | F N.C. | N.C. ||
Drum fill

Verse 2

F B♭
I finally got to talk to you
C B♭ F B♭ | C B♭ ||
And I told you just exactly how I felt,
F B♭
Then I held you close to me,
C B♭ F B♭ | C B♭ ||
And kissed you and my heart began to melt.
C
Girl you've got control of me
B♭
'Cause I'm so dizzy I can't see,
F A
I need to call a doctor for some help.

Chorus 3

D G B E A B B7
Dizzy, I'm so dizzy my head is spinning:
E A B
Like a whirlpool it never ends,
B7 E A B
And it's you girl making it spin.
B7
You're making me
F B♭ C B♭
Dizzy, my head is spinning:
F B♭ C B♭
Like a whirlpool it never ends,
F B♭ C
And it's you girl making it spin.
B♭
You're making me
F B♭ C B♭ F
Dizzy, you're making me dizzy...
Fade out

Do Wah Diddy Diddy

Words & Music by Jeff Barry & Ellie Greenwich

E A E/B B C♯m B7

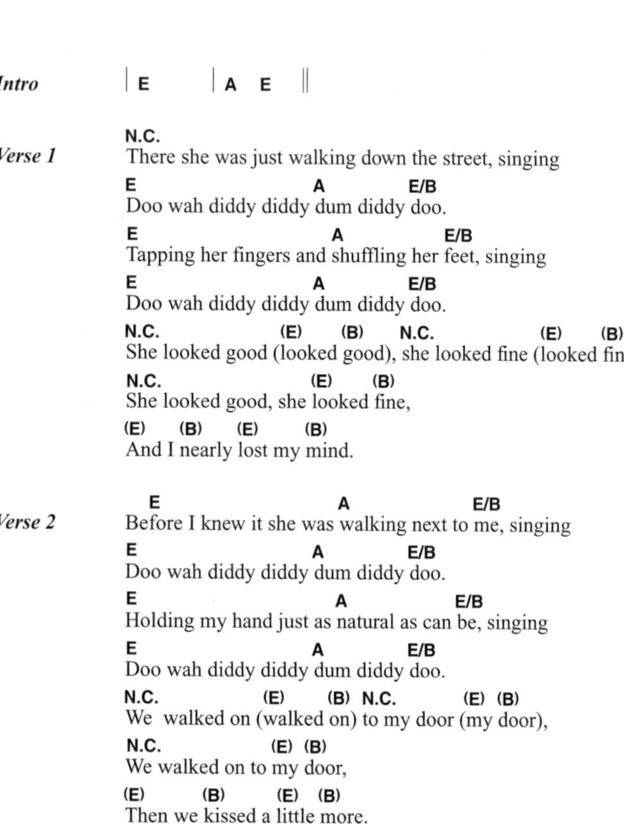

Intro | E | A E ||

Verse 1

N.C.
There she was just walking down the street, singing
E A E/B
Doo wah diddy diddy dum diddy doo.
E A E/B
Tapping her fingers and shuffling her feet, singing
E A E/B
Doo wah diddy diddy dum diddy doo.
N.C. (E) (B) N.C. (E) (B)
She looked good (looked good), she looked fine (looked fine),
N.C. (E) (B)
She looked good, she looked fine,
(E) (B) (E) (B)
And I nearly lost my mind.

Verse 2

E A E/B
Before I knew it she was walking next to me, singing
E A E/B
Doo wah diddy diddy dum diddy doo.
E A E/B
Holding my hand just as natural as can be, singing
E A E/B
Doo wah diddy diddy dum diddy doo.
N.C. (E) (B) N.C. (E) (B)
We walked on (walked on) to my door (my door),
N.C. (E) (B)
We walked on to my door,
(E) (B) (E) (B)
Then we kissed a little more.

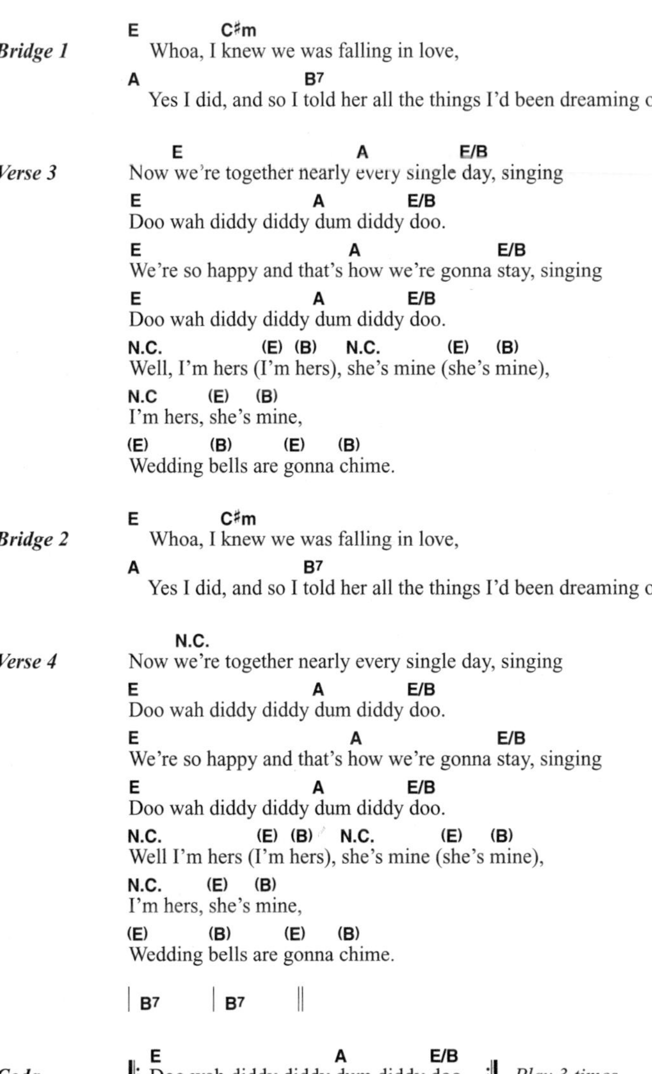

Bridge 1

E C♯m
Whoa, I knew we was falling in love,

A B7
Yes I did, and so I told her all the things I'd been dreaming of.

Verse 3

E A E/B
Now we're together nearly every single day, singing

E A E/B
Doo wah diddy diddy dum diddy doo.

E A E/B
We're so happy and that's how we're gonna stay, singing

E A E/B
Doo wah diddy diddy dum diddy doo.

N.C. (E) (B) N.C. (E) (B)
Well, I'm hers (I'm hers), she's mine (she's mine),

N.C (E) (B)
I'm hers, she's mine,

(E) (B) (E) (B)
Wedding bells are gonna chime.

Bridge 2

E C♯m
Whoa, I knew we was falling in love,

A B7
Yes I did, and so I told her all the things I'd been dreaming of.

Verse 4

N.C.
Now we're together nearly every single day, singing

E A E/B
Doo wah diddy diddy dum diddy doo.

E A E/B
We're so happy and that's how we're gonna stay, singing

E A E/B
Doo wah diddy diddy dum diddy doo.

N.C. (E) (B) N.C. (E) (B)
Well I'm hers (I'm hers), she's mine (she's mine),

N.C. (E) (B)
I'm hers, she's mine,

(E) (B) (E) (B)
Wedding bells are gonna chime.

| B7 | B7 ||

Coda

E A E/B
𝄆 Doo wah diddy diddy dum diddy doo. 𝄇 *Play 3 times*

Don't Let Me Be Misunderstood

Words & Music by
Bennie Benjamin, Sol Marcus & Gloria Caldwell

Bm Em A G F♯ D

Intro | Bm | Em | Bm | Em ||

Verse 1

```
Bm                       A
Baby do you under - stand me now?
G                                 F♯
   Sometimes I feel a little mad.
    Bm
But don't you know that no one alive
    A
Can always be an angel,
G                                  F♯
   When things go wrong I seem     to be bad.
```

Chorus 1

```
    D                                 Bm
But I'm just a soul whose in - tentions are good,
G  N.C.       G  N.C.
   Oh Lord,      please don't let me be misunder -

| Bm     | Em     | Bm     | Em     ||
- stood.
```

Verse 2

```
Bm                          A
Baby, sometimes I'm so carefree
G                                 F♯
   With a joy that's hard to hide.
     Bm                                  A
And sometimes it seems that all I have to do is worry,
G                                              F♯
   And then you're bound to see my other side.
```

Chorus 2

```
    D                         Bm
But I'm just a soul whose in - tentions are good,
G  N.C.       G  N.C.                           Bm   A
   Oh Lord,      please don't let me be misunder - stood.
```

Bridge

```
G    A           G          A
   If I seem edgy, I want you to know
G          A                D      Bm
That I ne - ver mean to take it out on you.
G          A                G      A
   Life has it's problems, and I get my share
G                         F♯
And that's one thing I never mean to do

'Cause I love you.
```

Verse 3

```
Bm          A
Oh, oh oh oh baby, don't you know I'm human
G                         F♯
   I have thoughts like any other one.
Bm                        A
Sometimes I find myself long regretting
G                                 F♯
   Some foolish thing, some little sinful thing I've done.
```

Chorus 4

```
D                         Bm
I'm just a soul whose in - tentions are good,
G  N.C.       G  N.C.                           Bm   Em
   Oh Lord,      please don't let me be misunder - stood.
```

Chorus 5

```
    D                         Bm
Yes I'm just a soul whose in - tentions are good,
G  N.C.       G  N.C.                           Bm   Em
   Oh Lord,      please don't let me be misunder - stood.
```

Repeat choruses to fade

Eve Of Destruction

Words & Music by P.F. Sloan

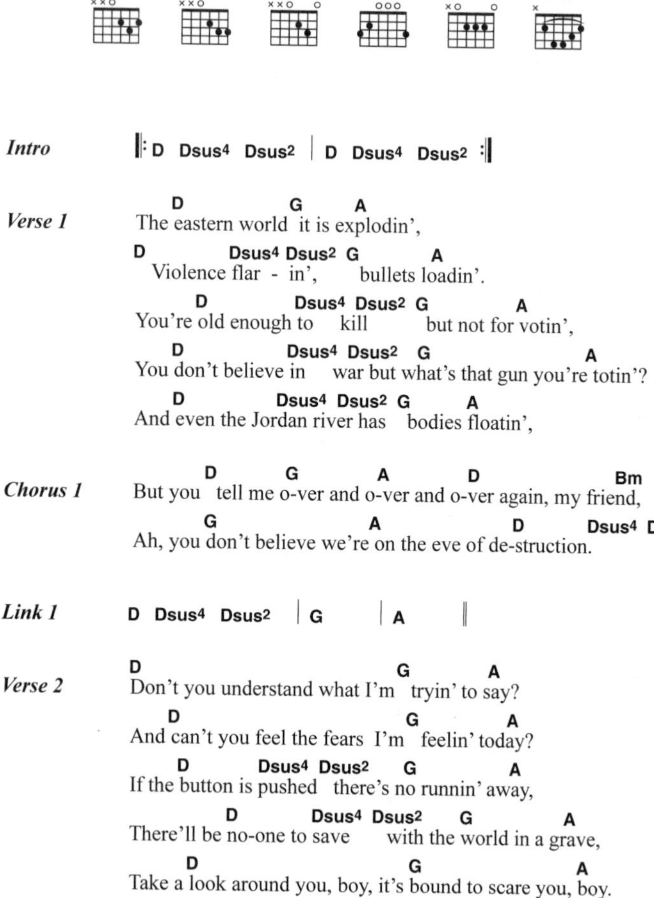

Intro

||: D Dsus4 Dsus2 | D Dsus4 Dsus2 :||

Verse 1

D G A
The eastern world it is explodin',
D Dsus4 Dsus2 G A
Violence flar - in', bullets loadin'.
D Dsus4 Dsus2 G A
You're old enough to kill but not for votin',
D Dsus4 Dsus2 G A
You don't believe in war but what's that gun you're totin'?
D Dsus4 Dsus2 G A
And even the Jordan river has bodies floatin',

Chorus 1

D G A D Bm
But you tell me o-ver and o-ver and o-ver again, my friend,
G A D Dsus4 Dsus2
Ah, you don't believe we're on the eve of de-struction.

Link 1

D Dsus4 Dsus2 | G | A ||

Verse 2

D G A
Don't you understand what I'm tryin' to say?
D G A
And can't you feel the fears I'm feelin' today?
D Dsus4 Dsus2 G A
If the button is pushed there's no runnin' away,
D Dsus4 Dsus2 G A
There'll be no-one to save with the world in a grave,
D G A
Take a look around you, boy, it's bound to scare you, boy.

Chorus 2

As Chorus 1

Link 2

| D Dsus4 Dsus2 | G | A |
| D Dsus4 Dsus2 | D Dsus4 Dsus2 ||

Verse 3

D Dsus4 Dsus2 G A
Yeah, my blood's so mad, feels like coagulatin',
D Dsus4 Dsus2 G A
I'm sittin' here, just contemplatin'.
D Dsus4 Dsus2 G A
I can't twist the truth, it knows no regulation,
D Dsus4 Dsus2 G A
Handful of Sena - tors don't pass legislation.
D Dsus4 Dsus2 G A
And marches alone can't bring integration
D Dsus4 Dsus2 G A
When human respect is disintegratin',
D Dsus4 Dsus2 G A
This whole crazy world is just too frustratin'.

Chorus 3 As Chorus 1

Link 3 As Link 2

Verse 4

D Dsus4 Dsus2 G A
And think of all the hate there is in Red China,
D Dsus4 Dsus2 G A
Then take a look around to Selma, Alabama.
D Dsus4 Dsus2 G A
Ah, you may leave here for four days in space,
D Dsus4 Dsus2 G A
But when you return it's the same old place.
D Dsus4 Dsus2 G A
The poundin' of the drums, the pride and disgrace,
D Dsus4 Dsus2 G A
You can bury your dead, but don't leave a trace,
D G A
Hate your next door neighbour, but don't forget to say grace.

Chorus 4

D G A D Bm
And tell me over and o-ver and o-ver and over again, my friend,
G A D Dsus4 Dsus2
You don't believe we're on the eve of destruction,
D Dsus4 Dsus2 G A D Dsus4 Dsus2
No no, you don't believe we're on the eve of destruction.

| D Dsus4 Dsus2 | G | D ||

Fire

Words & Music by
Arthur Brown, Vincent Crane, Michael Finesilver & Peter Ker

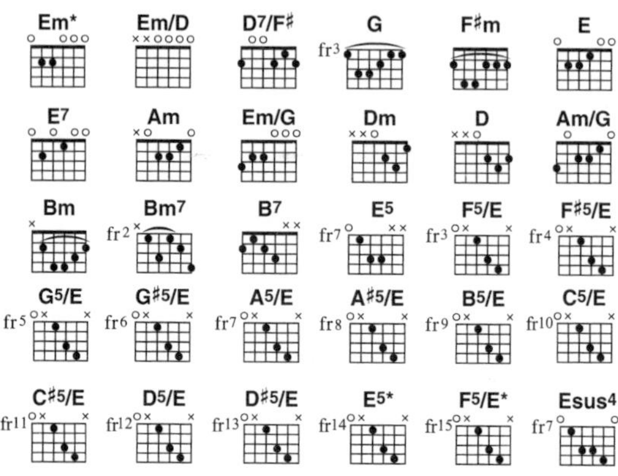

Tune guitar slightly sharp

Intro

N.C.
I am the God of Hell fire, and I bring you...

Chorus 1

Em Em/D Em Em/D Em Em/D Em Em/D
Fire, I'll take you to burn

Em Em/D Em Em/D Em Em/D Em Em/D
Fire, I'll take you to learn

Em D7/F♯ Em G F♯m E
I'll see you burn!

Verse 1

E7 Am E
You fought hard and you saved and earned,

Am D E
But all of it's going to burn,

Am
And your mind, your tiny mind,

Dm D
you know you've really been so blind,

Dm
Now's your time, burn your mind, you're falling too far behind.

‖: B5 A5 G5 F♯5 :‖
Oh no! *(x3)*

B5 A5 G5 F♯5 B7♯9♭5
You're gonna burn!

Chorus 2

Em Em/D Em Em/D Em Em/D Em Em/D
Fire, to des - troy all you've done

Em Em/D Em Em/D Em Em/D Em Em/D
Fire, to end all you've be - come

Em D7/F♯ Em G F♯m E
I'll feel you burn.

Verse 2

E7 Am Em/G E
You've been living like a little girl

Am Dm E
In the middle of your little world

Am Am/G
And your mind, your tiny mind

Dm D
You know you've really been so blind

Am Am/G
Now's your time, to burn your mind

Dm D
You're falling far too far behind

Bm Bm7 G F♯m
Ooooh__________

Chorus 3

Em Em/D Em Em/D Em Em/D Em Em/D
Fire, I'll take you to burn

Em Em/D Em Em/D Em Em/D Em Em/D
Fire, I'll take you to learn

B7 E5
You're gonna burn,

B7 E5
You're gonna learn,

F5/E F♯5/E G5/E G♯5/E
You're gonna burn, (burn), burn, (burn), burn, (burn),

A5/E A♯5/E B5/E C5/E C♯5/E D5/E D♯5/E E5* F5/E*
Burn, burn, burn, burn, burn!

Link

| Esus4 | Esus4 | Esus4 | Esus4 ||

Outro

Em Em/D Em Em/D Em Em/D Em Em/D
Fire, I'll take you to burn

Em Em/D Em Em/D Em Em/D Em Em/D
Fire, I'll take you to learn

Em Em/D Em Em/D Em Em/D Em Em/D
Fire, I'll take you to bed.

Em Em/D Em Em/D Em Em/D Em Em/D
Fire... Fire... *Fade out*

Flowers In The Rain

Words & Music by Roy Wood

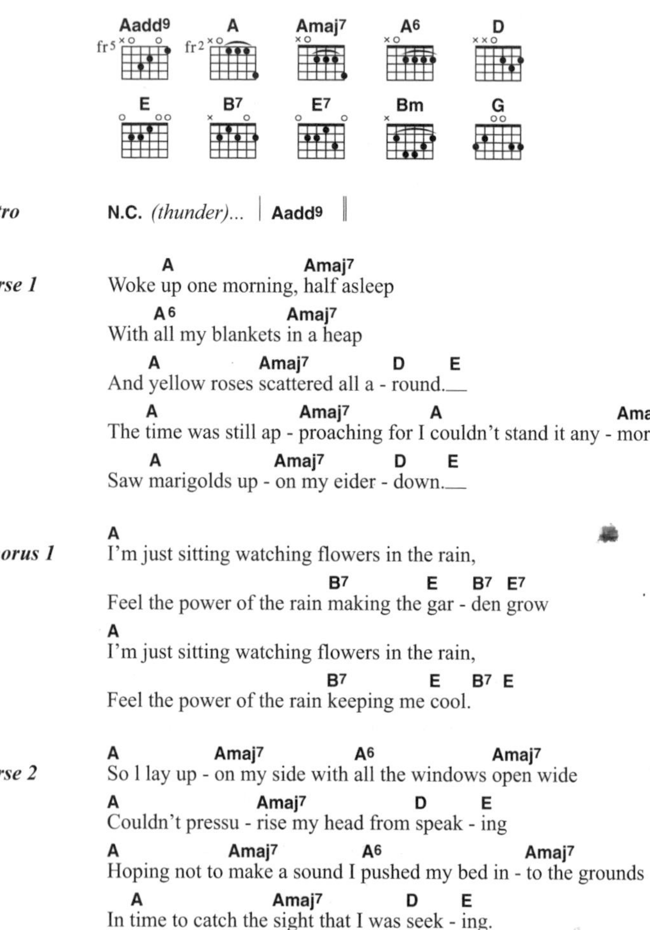

Intro

N.C. *(thunder)...* | Aadd9 ‖

Verse 1

A Amaj7
Woke up one morning, half asleep
A6 Amaj7
With all my blankets in a heap
A Amaj7 D E
And yellow roses scattered all a - round.__
A Amaj7 A Amaj7
The time was still ap - proaching for I couldn't stand it any - more
A Amaj7 D E
Saw marigolds up - on my eider - down.__

Chorus 1

A
I'm just sitting watching flowers in the rain,
B7 E B7 E7
Feel the power of the rain making the gar - den grow
A
I'm just sitting watching flowers in the rain,
B7 E B7 E
Feel the power of the rain keeping me cool.

Verse 2

A Amaj7 A6 Amaj7
So I lay up - on my side with all the windows open wide
A Amaj7 D E
Couldn't pressu - rise my head from speak - ing
A Amaj7 A6 Amaj7
Hoping not to make a sound I pushed my bed in - to the grounds
A Amaj7 D E
In time to catch the sight that I was seek - ing.

Chorus 2 As Chorus 1

Link 1 | A ‖

Bridge

```
D                                A
If this perfect pleasure has the key
                                     Bm
Then this is how it has to be
                A
If  pillow's getting wet
   G                     E        A         D
I can't see that it matters much to me.
```

Link 2 | E7 ‖

Verse 3

```
   A                        Amaj7
I heard the flowers in the breeze
        A6                  Amaj7
Make conversation with the trees
      A                        Amaj7       D     E
Re - lieved to leave reality be - hind me.
       A                           Amaj7          A6                          Amaj7
With my commitments in a mess my sleep has gone a - way depressed
A                    Amaj7              D     E
In a world of fantasy you'll find me.
```

Chorus 3 As Chorus 1

Outro

```
‖: A          | A                                  |
                  Watching flowers in the rain,
|  A          | A                                 :‖
                  flowers in the rain.

‖: A       :‖  Repeat to fade
```

Flowers On The Wall

Words & Music by Lewis C. DeWitt

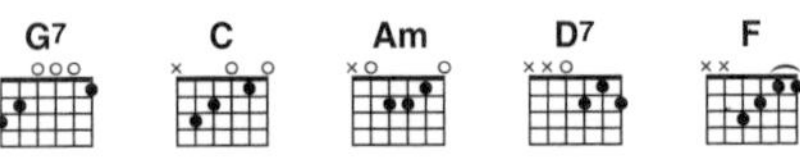

Tune guitar down one semitone

Intro | G7 | G7 ||

Verse 1

```
C                                         Am
I keep hearin' you're concerned about my happiness,
   D7                                   G7
But all that thought you've given me is   conscience, I guess
  C                                     Am
If I were walkin' in your shoes, I wouldn't worry none,
     D7
While you and your friends are worryin' 'bout me,
   G7
I'm havin' lots of fun.
```

Chorus 1

```
           Am
Countin' flowers on the wall,

That don't bother me at all,

Playin' solitaire 'til dawn,

With a deck of fifty-one,
          F
Smokin' cigarettes and watchin' 'Captain Kangaroo,'
              G7
Now don't tell me,
N.C.
  I've nothin' to do.
```

Verse 2

C Am
Last night I dressed in tails, pretended I was on the town,
D7 G7
As long as I can dream it's hard to slow this swinger down.
C Am
So please don't give a thought to me, I'm really doin' fine,
D7 G7
You can always find me here and havin' quite a time.

Chorus 2

As Chorus 1

Verse 3

C Am
It's good to see you, I must go, I know I look a fright,
D7 G7
Anyway, my eyes are not accustomed to this light,
C Am
And my shoes are not accustomed to this hard concrete,
D7 G7
So I must go back to my room and make my day complete.

Chorus 3

Am
Countin' flowers on the wall,

That don't bother me at all,

Playin' solitaire 'til dawn,

With a deck of fifty-one,
F
Smokin' cigarettes and watchin' 'Captain Kangaroo,'
G7
Now don't tell me,
N.C.
I've nothin' to do.
G7
Don't tell me,
N.C.
I've nothin' to do.

| G7 | G7 | C | C ||

Give Peace A Chance

Words & Music by John Lennon

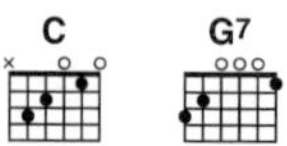

Capo first fret

	N.C.
Intro	Two, one, two, three, four.
	| C | C | C | C ||

	C
Verse 1	Ev'rybody's talking about
	Bagism, Shagism,
	Dragism, Madism,
	Ragism, Tagism,
	Thisism, Thatism.
	Isn't it the most?

```
               C          G7
Chorus 1       All we are saying,
                                 C
               Is give peace a chance.
                          G7
               All we are saying,
                                C
               Is give peace a chance.
```

Verse 2

C
Ev'rybody's talking about

Ministers, Sinisters,

Banisters and Canisters,

Bishops and Fishops and

Rabbis and Popeyes,

Bye bye bye byes.

Chorus 2 As Chorus 1

Verse 3

C
Ev'rybody's talking about

Revolution, Evolution,

Mastication, Flagelation,

Regulations, Integrations,

Meditations, United Nations,

Congratulations.

Chorus 3 As Chorus 1

Verse 4

C
Ev'rybody's talking about

John and Yoko, Timmy Leary,

Rosemary, Tommy Smothers,

Bobby Dylan, Tommy Cooper,

Derek Taylor, Norman Mailer,

Alan Ginsberg, Hare Krishna, Hare, Hare Krishna.

Chorus 4 𝄆 As Chorus 1 𝄇 *Play 6 times*

Glad All Over

Words & Music by Dave Clark & Mike Smith

Intro | D G ||

Verse 1

D G D G D
You say that you love me (say you love me)
G D G D
All of the time (all of the time);
G D G D
You say that you need me (say you need me),
G D G D
You'll always be mine (always be mine).

Chorus 1

N.C. A
I'm feeling glad all over, yes I'm
D A
Glad all over, baby I'm glad all over,
D G D
So glad you're mine. ______

Verse 2

G D G D
I'll make you happy (make you happy),
G D G D
You'll never be blue (never be blue);
G D G D
You'll have no sorrow (have no sorrow),
G D G D
'Cause I'll always be true (always be true).

Chorus 2 As Chorus 1

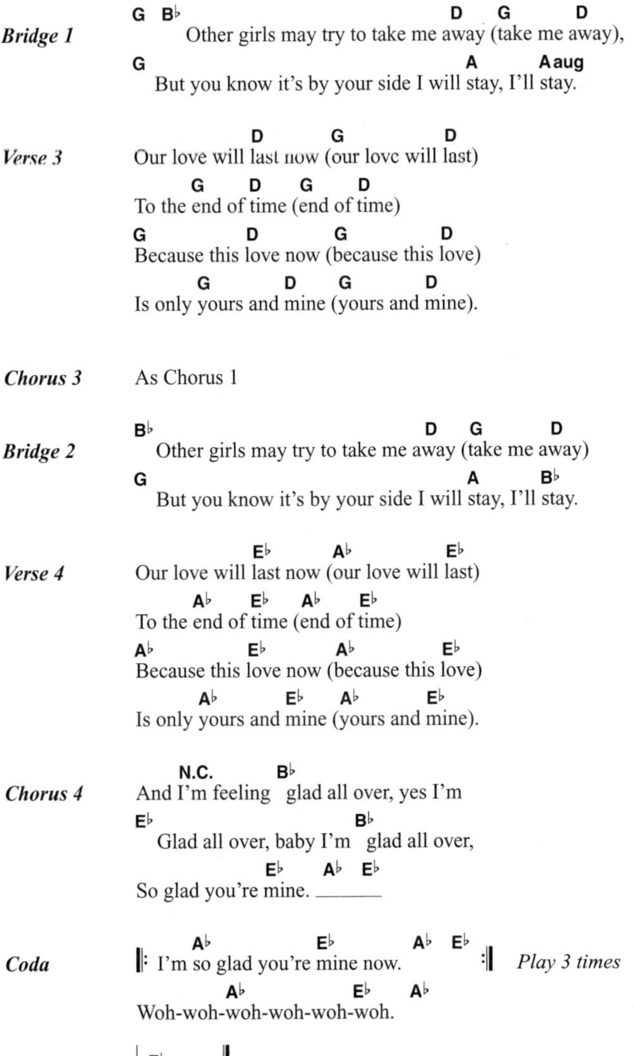

Bridge 1

G B♭ D G D
Other girls may try to take me away (take me away),
G A Aaug
But you know it's by your side I will stay, I'll stay.

Verse 3

D G D
Our love will last now (our love will last)
G D G D
To the end of time (end of time)
G D G D
Because this love now (because this love)
G D G D
Is only yours and mine (yours and mine).

Chorus 3

As Chorus 1

Bridge 2

B♭ D G D
Other girls may try to take me away (take me away)
G A B♭
But you know it's by your side I will stay, I'll stay.

Verse 4

E♭ A♭ E♭
Our love will last now (our love will last)
A♭ E♭ A♭ E♭
To the end of time (end of time)
A♭ E♭ A♭ E♭
Because this love now (because this love)
A♭ E♭ A♭ E♭
Is only yours and mine (yours and mine).

Chorus 4

N.C. B♭
And I'm feeling glad all over, yes I'm
E♭ B♭
Glad all over, baby I'm glad all over,
E♭ A♭ E♭
So glad you're mine. ______

Coda

A♭ E♭ A♭ E♭
𝄆 I'm so glad you're mine now. 𝄇 *Play 3 times*
A♭ E♭ A♭
Woh-woh-woh-woh-woh-woh.

| E♭ ‖

Go Now

Words & Music by Larry Banks & Milton Bennett

G G/F♯ G/E G/D C

Am D D♯m Em Bm C/D

Capo first fret

```
                NC.
Intro           We've already said

                | G      | G/F♯   | G/E    | G/D    | C      | Am     |
                                     Goodbye,

                    D
                And since you gotta go,

                Oh you had better:

                G       G/F♯
Chorus 1        Go now,
                G/E             G/D       C      Am
                   Go now, go now, go    now,
                D              D♯m            Em
                Before you'll see me cry. ______

Verse 1         And I don't want you to tell me
                                   Bm
                   Just what you intend to do now,
                Em
                   'Cause how many times do I have to tell you

                Darlin', darlin', I'm still in love,
                        Bm           Am      D
                   With you now, oh, ______

                N.C.
Link            We've already said

                | G      | G/F♯   | G/E    | G/D    | C      |
                                    So long.
                Am       D
                   I don't wanna see you go,

                But oh, you had better:
```

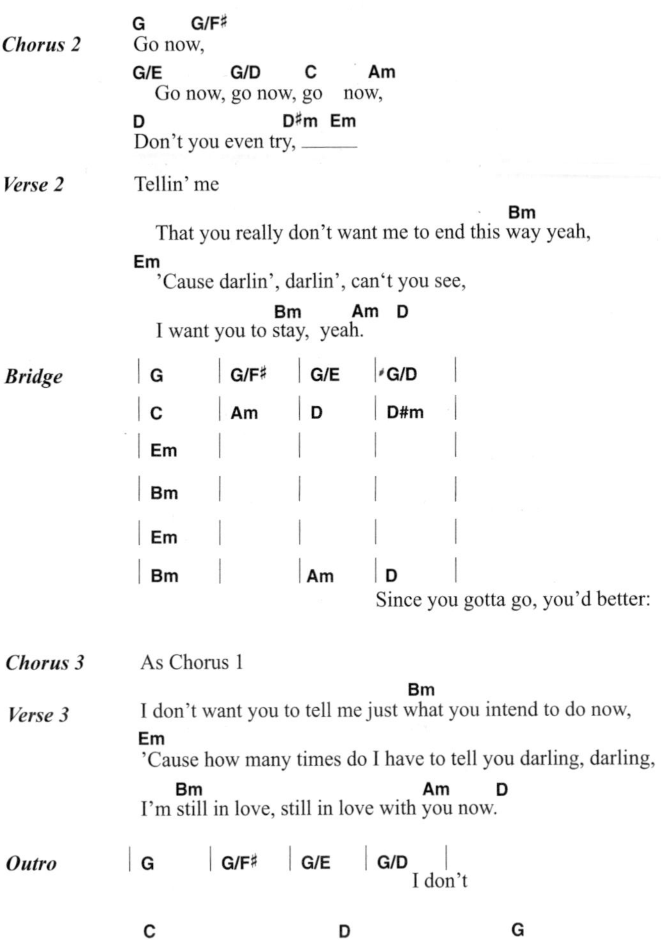

Chorus 2

G G/F♯
Go now,

G/E G/D C Am
Go now, go now, go now,

D D♯m Em
Don't you even try, ____

Verse 2

Tellin' me

Bm
That you really don't want me to end this way yeah,

Em
'Cause darlin', darlin', can't you see,

Bm Am D
I want you to stay, yeah.

Bridge

G	G/F♯	G/E	G/D
C	Am	D	D#m
Em			
Bm			
Em			
Bm		Am	D

Since you gotta go, you'd better:

Chorus 3

As Chorus 1

Verse 3

Bm
I don't want you to tell me just what you intend to do now,

Em
'Cause how many times do I have to tell you darling, darling,

Bm Am D
I'm still in love, still in love with you now.

Outro

| G | G/F♯ | G/E | G/D |

I don't

C D G
Wanna see you go, but darling, you'd better go now.

Goldfinger

Words by Leslie Bricusse & Anthony Newley
Music by John Barry

E C Bm E♭7 B7 A♭m
A♭m♭6 A♭m6 E♭m B♭m B♭7 Cdim7 Bm7

Intro | 𝄆 E C | E C | E C | E C 𝄇 |

Chorus 1

E C
Gold - finger
Bm E A E♭7
He's the man, the man with the Midas touch
B7
A spider's touch
E C
Such a cold finger
Bm E A E♭7
Beckons you to enter his web of sin
A♭m A♭m♭6 A♭m6 A♭m♭6
But don't go in.

Verse 1

E♭m A♭m B♭7
Golden words he will pour in your ear
E♭m B♭m
But his lies can't disguise what you fear
E♭7 Bm7
For a golden girl knows when he's kissed her
B7 Cdim7
It's the kiss of death,

Chorus 2

```
                E        C
From Mister Gold - finger
Bm     E           A                          E♭7
Pretty girl, be - ware of his heart of gold
                A♭m  A♭m♭6  A♭m6  A♭m♭6
This heart is cold.
```

Verse 2

```
           E♭m              A♭m            B♭7
Golden words he will pour in your ear
           E♭m                                  B♭m
But his lies can't disguise what you fear
       E♭7           Bm7
For a golden girl knows when he's kissed her
B7                  Cdim7
It's the kiss of death,
```

Chorus 3

```
                E        C
From Mister Gold - finger
Bm     E           A                          E♭7
Pretty girl, be - ware of his heart of gold
                A♭m  A♭m♭6  A♭m6  A♭m♭6
This heart is cold
    A♭m♭6       A♭m  A♭m♭6  A♭m6
He loves only gold
A♭m♭6      A♭m  A♭m♭6  A♭m6
Only____ gold
A♭m♭6     A♭m  A♭m♭6  A♭m6
He loves gold
    A♭m♭6       A♭m  A♭m♭6  A♭m6
He loves only gold
A♭m♭6      A♭m  A♭m♭6  A♭m6
Only____ gold
A♭m♭6     A♭m
He loves gold.
```

Baby, Now That I've Found You

Words & Music by Tony Macaulay & John MacLeod

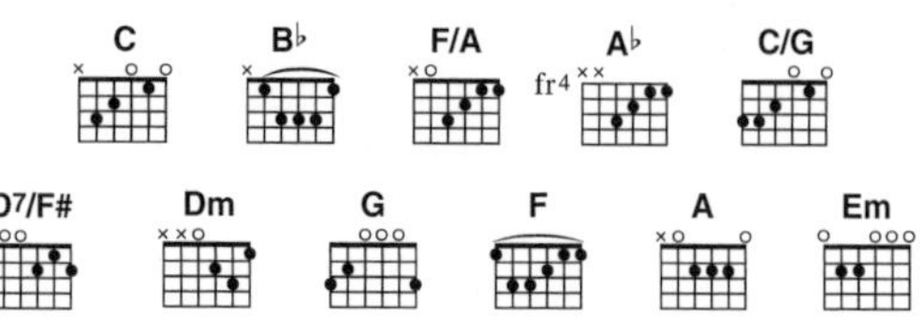

| C | | |

Chorus 1

C B♭
Baby, now that I've found you
F/A
I can't let you go
A♭
I built my world around you
C/G
I need you so,
D7/F#
Baby even though
Dm G
You don't need me, you don't need me.
C B♭
Baby, now that I've found you
F/A
I can't let you go
A♭
I built my world around you
C/G
I need you so,
D7/F#
Baby even though
Dm
You don't need me,

cont.

G
You don't need me.

Verse 1

C F C Dm
Baby, baby, since first we met
C F C Dm
I knew in this heart of mine,
C F C Dm
The love we had could not be bad
C F G
Play it right, and bide my time.
A Em
Spent my life looking for somebody
A Em A
To give me love like you
G Dm
Now you told me that you wanna leave me
G
But darling, I just can't let you,

Chorus 2

C B♭
Baby, now that I've found you
F/A
I can't let you go
A♭
I built my world around you
C/G
I need you so,
D7/F#
Baby even though
Dm G
You don't need me, you don't need me.
C B♭
Baby, now that I've found you
F/A
I can't let you go
A♭
I built my world around you
C/G
I need you so,
D7/F#
Baby even though
Dm
You don't need me,
G
You don't need me.

Verse 2

A   Em
Spent my life looking for somebody
A   Em   A
To give me love like you
G   Dm
Now you told me that you wanna leave me
G
But darling, I just can't let you.

Chorus 3 As Chorus 2

(*Repeat Chorus to fade)*

Good Vibrations

Words & Music by Brian Wilson & Mike Love

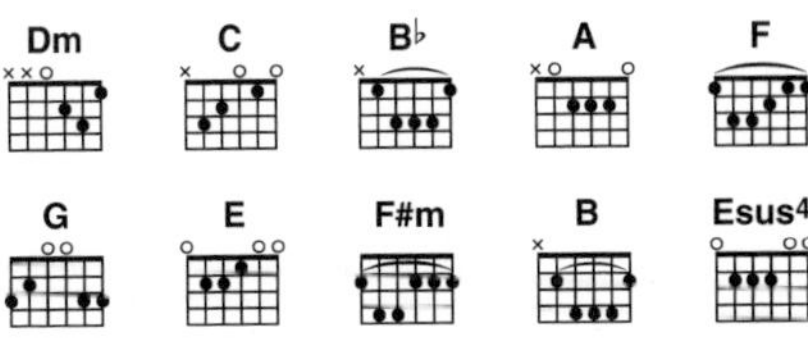

Capo first fret

Verse 1

```
Dm                          C
I, I love the colourful clothes she wears.
            B♭                              A
And the way the sunlight plays upon her hair.
Dm                      C
I hear the sound of a gentle word,
           B♭                                  A          C
On the wind that lifts her perfume through the air.
```

Chorus 1

```
F
I'm pickin' up good vibrations,

She's giving me excitations.

I'm pickin' up good vibrations,

She's giving me excitations.
G
Good, good, good, good vibrations,

She's giving me excitations.
A
Good, good, good, good vibrations,

She's giving me excitations.
```

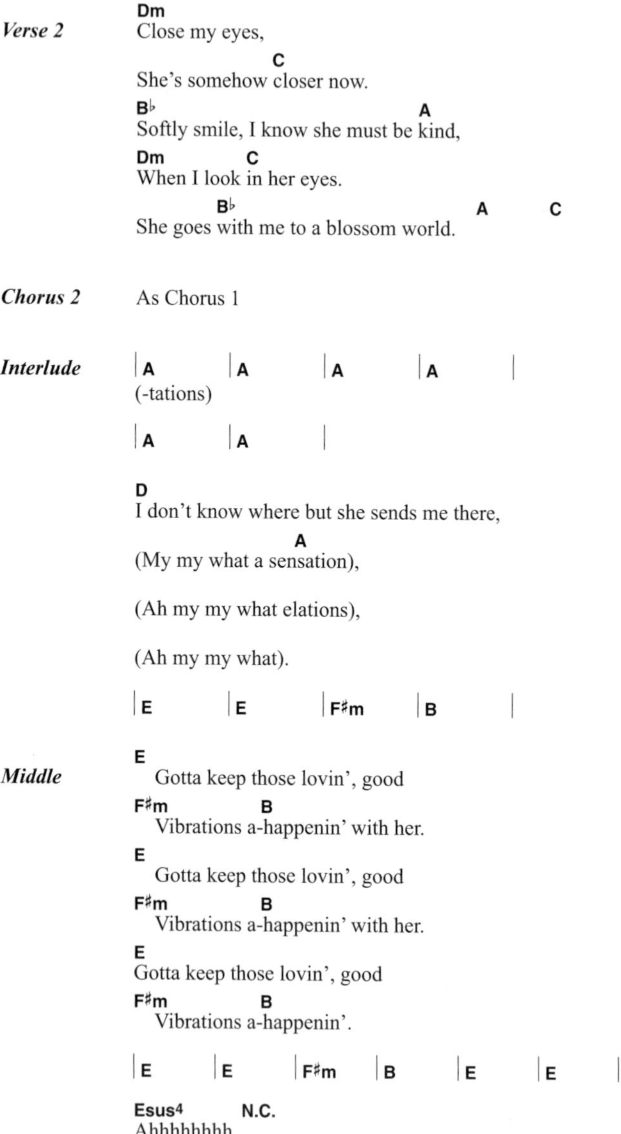

Verse 2

```
Dm
Close my eyes,
                          C
She's somehow closer now.
B♭                                   A
Softly smile, I know she must be kind,
Dm            C
When I look in her eyes.
          B♭                              A        C
She goes with me to a blossom world.
```

Chorus 2

As Chorus 1

Interlude

```
| A        | A        | A        | A        |
(-tations)

| A        | A        |

D
I don't know where but she sends me there,
                        A
(My my what a sensation),

(Ah my my what elations),

(Ah my my what).

| E        | E        | F♯m      | B        |
```

Middle

```
E
   Gotta keep those lovin', good
F♯m              B
   Vibrations a-happenin' with her.
E
   Gotta keep those lovin', good
F♯m              B
   Vibrations a-happenin' with her.
E
Gotta keep those lovin', good
F♯m              B
   Vibrations a-happenin'.

| E      | E      | F♯m    | B      | E      | E      |

Esus4        N.C.
Ahhhhhhhh.
```

Chorus 3

A
Good, good, good, good vibrations.

She's giving me excitations

G
Good, good, good, good, vibrations.

| F | F |

Outro

F
Na, na, na, na, na, na, na, na.

G
Na, na, na, na, na, na, na, na.

A
Na, na, na, na, na, na, na, na.

G
Na, na, na, na, na, na, na, na.

||: G | G :|| *Repeat to fade*

Happy Together

Words & Music by Alan Gordon & Garry Bonner

Em D C B7 E G

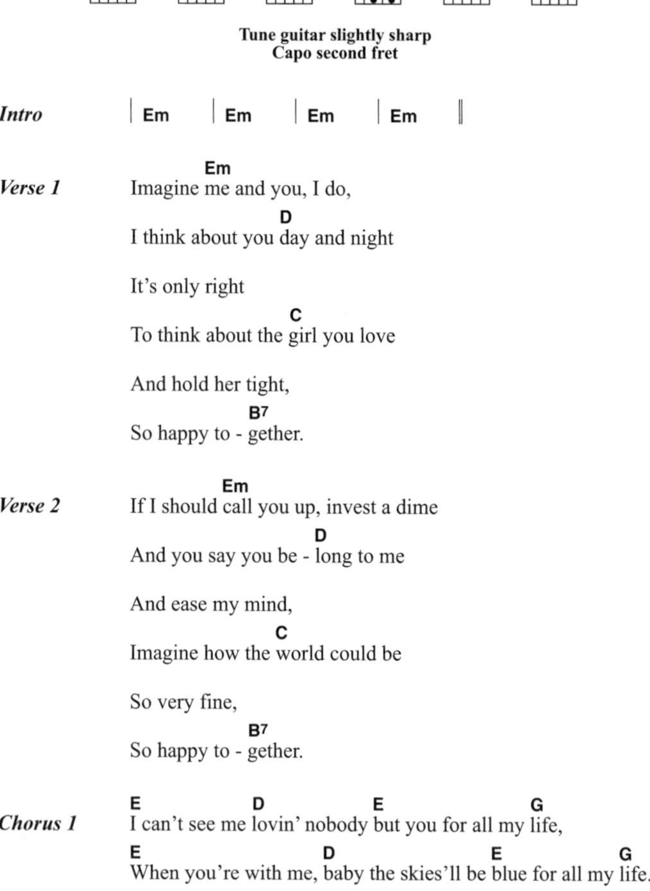

Tune guitar slightly sharp
Capo second fret

Intro | Em | Em | Em | Em ||

Verse 1

```
        Em
Imagine me and you, I do,
                  D
I think about you day and night
It's only right
                     C
To think about the girl you love
And hold her tight,
             B7
So happy to - gether.
```

Verse 2

```
              Em
If I should call you up, invest a dime
                       D
And you say you be - long to me
And ease my mind,
                    C
Imagine how the world could be
So very fine,
             B7
So happy to - gether.
```

Chorus 1

```
E              D              E                  G
I can't see me lovin' nobody but you for all my life,
E                    D                  E                G
When you're with me, baby the skies'll be blue for all my life.
```

Verse 3

```
Em
Me and you, and you and me
                          D
No matter how they tossed the dice, it had to be.
                      C
The only one for me is you, and you for me
                 B7
So happy to - gether.
```

Chorus 2 As Chorus 1

Verse 4 As Verse 3

Instr.

```
| E      | D      | E      | G      |
| E      | D      | E      | G      | G      ||
```

Outro

```
Em
Me and you, and you and me
                          D
No matter how they tossed the dice, it had to be.
                      C
The only one for me is you, and you for me
                 B7
So happy to - gether
Em
   So happy to - gether,
Em
   And how is the wea - ther?
Em                 B7
   So happy to - gether,
Em                    B7
   We're happy to - gether
Em                 B7
   So happy to - gether,
Em                 B7
   So happy to - gether,
Em                 B7
   So happy to - gether,
Em                 B7
   So happy to - gether,
Em                 B7     E
   So happy to - gether.
```

Harlem Shuffle

Words & Music by Bob Relf & Earl Nelson

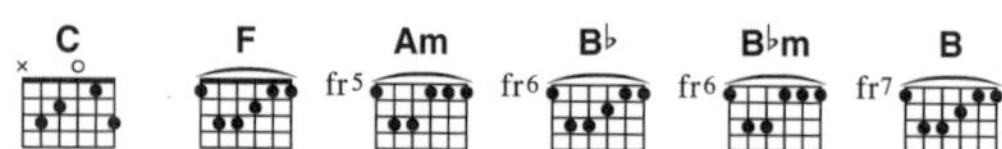

Intro | C | C | F | Am | Am | Am | Am

Verse 1

Am
You move it to the left, yeah,

Then you go for yourself.

You move it to the right, yeah,

If it takes all night.

B♭
Now take it down slow with a whole lot of soul.

Am
Don't move it too fast and make it last.

Verse 2

Am
You know you scratch just like a monkey,

Yeah, you do real, yeah.

You slide into the limbo, yeah.

How low can you go?

B♭
But come on, baby, I don't want you to scuffle now.

Am
You just groove it right here, do the Harlem shuffle.

Chorus 1

Am
Yeah, yeah, yeah,

Do the Harlem shuffle (Oh, do the monkey shine)

Yeah, yeah, yeah,

Do the Harlem shuffle.

Bridge

B♭
Wha, wha.________

Am B♭m
Wha.___

Verse 3

B♭m
Hitch, hitch-hike baby, across the floor.

Whoa, whoa, whoa, I can't stand it no more.

B
Now come on, baby,

Now get into your slide

B♭m
We're gonna ride, ride, ride

Little pony ride. Yeah

Outro

B♭m
𝄆 Shake, shake, shake,

Shake a tail feather, baby, ooh! 𝄇 *Repeat to fade*

Hello Mary Lou

Words & Music by Cayet Mangiaracina & Gene Pitney

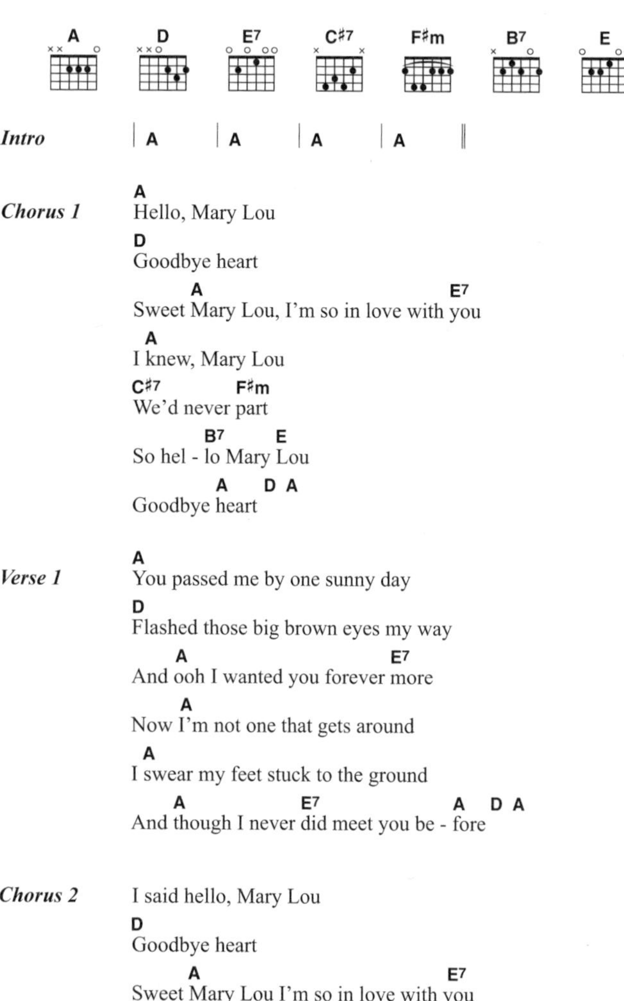

A D E7 C♯7 F♯m B7 E

Intro | A | A | A | A ‖

Chorus 1

A
Hello, Mary Lou
D
Goodbye heart
A E7
Sweet Mary Lou, I'm so in love with you
A
I knew, Mary Lou
C♯7 F♯m
We'd never part
B7 E
So hel - lo Mary Lou
A D A
Goodbye heart

Verse 1

A
You passed me by one sunny day
D
Flashed those big brown eyes my way
A E7
And ooh I wanted you forever more
A
Now I'm not one that gets around
A
I swear my feet stuck to the ground
A E7 A D A
And though I never did meet you be - fore

Chorus 2

I said hello, Mary Lou
D
Goodbye heart
A E7
Sweet Mary Lou I'm so in love with you

cont.

```
A
I knew, Mary Lou
C♯7          F♯m
We'd never part
         B7       E
So hel - lo Mary Lou
           A     D A
Goodbye heart
```

Instr.

```
| A      | D         | A      | E7        |
| A      | C♯7 F♯m   | B7  E  | A   D A   ||
```

Verse 3

```
A
I saw your lips I heard your voice
    D
Be - lieve me, I just had no choice
     A                                  E7
Wild horses couldn't make me stay a - way
A
I thought about a moonlit night
    D
My arms around you good and tight
      A          E7          A   D A
That's all I had to see for me to stay
```

Chorus 3

```
A
Hello, Mary Lou
D
Goodbye heart
      A                               E7
Sweet Mary Lou I'm so in love with you
A
I knew, Mary Lou
C♯7          F♯m
We'd never part
            B7       E
|: So hel - lo Mary Lou
           A     D A
Goodbye heart          :|
          B7       E
Yes hel - lo Mary Lou
           A     D A D A
Goodbye heart
```

Here Comes The Night

Words & Music by Bert Russell

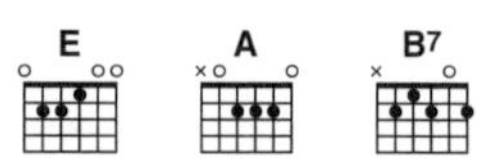

Intro

| E | A ||

```
                E      A
Whoa, here it comes
                 E      A
Here comes the night
                 E      A
Here comes the night
          E        B7
Whoa,____ yeah
```

Verse 1

```
E
I could see right out my window
B
Walking down the street, my girl
         E          A  B7
With an - other guy
   E
His arm around her
                         B7
Like it used to be with me
                      E
Whoa, it makes me want to die
A             B7
Yeah, yeah, yeah
```

Chorus 1

```
               E      A
Well, here it comes
                 E      A
Here comes the night
                 E      A
Here comes the night
          E        B7
Whoa,____ yeah
```

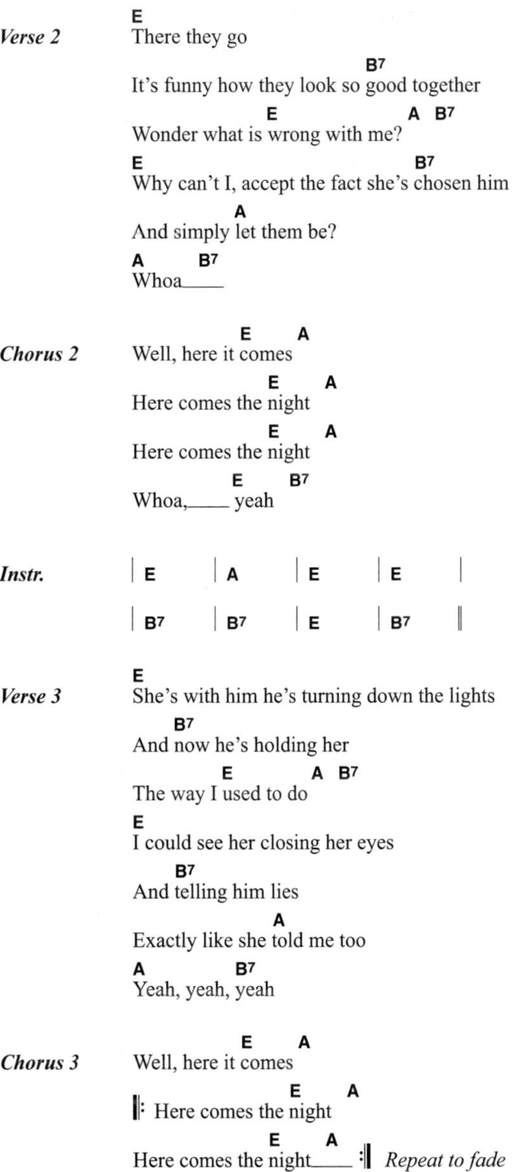

```
             E
Verse 2      There they go
                                              B7
             It's funny how they look so good together
                                E                   A  B7
             Wonder what is wrong with me?
             E                                        B7
             Why can't I, accept the fact she's chosen him
                           A
             And simply let them be?
             A        B7
             Whoa____

                            E      A
Chorus 2     Well, here it comes
                                E      A
             Here comes the night
                                E      A
             Here comes the night
                           E      B7
             Whoa,____ yeah

Instr.       | E       | A       | E       | E       |

             | B7      | B7      | E       | B7      ||

             E
Verse 3      She's with him he's turning down the lights
                 B7
             And now he's holding her
                          E          A  B7
             The way I used to do
             E
             I could see her closing her eyes
                 B7
             And telling him lies
                                A
             Exactly like she told me too
             A           B7
             Yeah, yeah, yeah

                            E      A
Chorus 3     Well, here it comes
                                   E      A
             ||: Here comes the night
                                E      A
             Here comes the night____ :||  Repeat to fade
```

Hey Joe

Words & Music by Billy Roberts

E Em7 (fr5) Em6/9 C G D A

Intro | N.C. Guitar fill | E Em7 Em6/9 | E ||

Verse 1
C G D A E | E |
Hey Joe, where you goin' with that gun of yours?
C G D A E | E
Hey Joe, I said where you goin' with that gun in your hand?
C G
I'm goin' down to shoot my lady,
D A E | E |
You know I caught her messin' 'round with a - nother man.
C G
Yeah, I'm goin' down to shoot my ol' lady,
D A E
You know I caught her messin' 'round with another man

Huh! And that ain't too cool.

Verse 2
C G D A E
A-hey Joe, I heard you shot your woman down,

You shot her down now.
C G D A E
A-hey Joe, I heard you shot your old lady down,

You shot her down in the ground, yeah!
C G
Yes, I did, I shot her,
D A E | E
You know I caught her messin' 'round, messin' 'round town,
C G
Uh, yes I did, I shot her.

cont.

D A E
You know I caught my old lady messin' 'round town,

Then I gave her the gun,

I shot her.

Guitar solo

| C G | D A | E | E |
Alright, shoot her one more time again baby!
| C G | D A | E | E |
Yeah! Dig it.
| C G | D A | E | E ||
Oh, alright.

Verse 3

C G
Hey Joe,
D A E
Where you gonna run to now, where you gonna run to?
C G
"Hey Joe", I said,
D A E
"Where you gonna run to now, where you gonna go?"
C G
I'm goin' way down South,
D A E E
Way down to Mexico way.
C G
I'm goin' way down South,
D A E
Way down where I can be free,

Ain't no one gonna find me.

Outro

C G
Ain't no hang-man gonna,
D A E
He ain't gonna put a rope around me,

You better believe it right now,

I gotta go now,
C G
Hey Joe,
D A E
You better run on down,

Goodbye everybody. Ow! *To fade*

Hi Ho Silver Lining

Words & Music by Scott English & Lawrence Weiss

D/A G C D A D7

Intro | D/A | D/A ||

Verse 1

```
D/A
You're everywhere and nowhere, baby
G
Thats where you're at
C                      G
Going down a bumpy hillside
D              A
In your hippy hat
D
Flying out across the country
G
And getting fat
C                          G
Saying everything is groovy
D                          A
When your tyres are flat
```

Chorus 1

```
               D      D7
And it's hi-ho silver lining
G                A        G   A
And away you go now ba - by
D             D7
I see your sun is shining
G                        A    G
But I won't make a fuss
                D
Though it's obvious
```

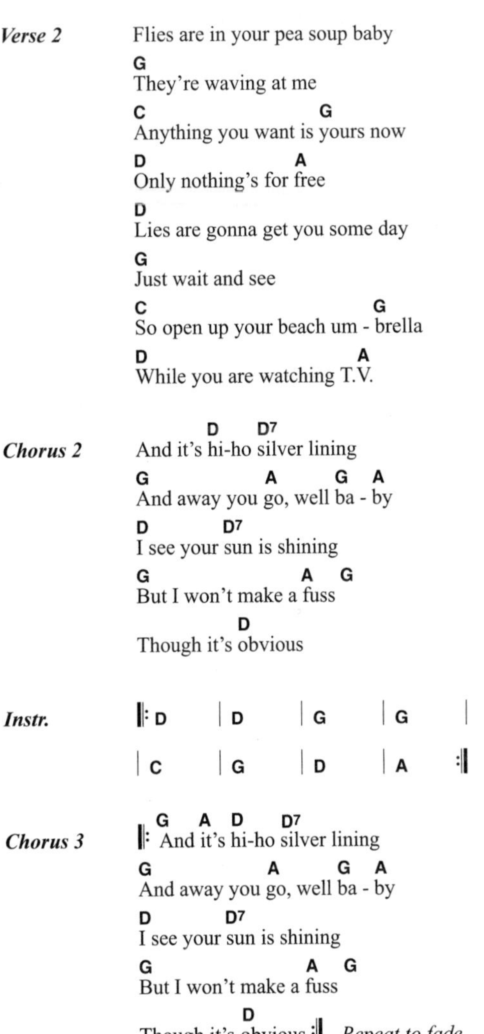

Verse 2

Flies are in your pea soup baby
G
They're waving at me
C G
Anything you want is yours now
D A
Only nothing's for free
D
Lies are gonna get you some day
G
Just wait and see
C G
So open up your beach um - brella
D A
While you are watching T.V.

Chorus 2

D D7
And it's hi-ho silver lining
G A G A
And away you go, well ba - by
D D7
I see your sun is shining
G A G
But I won't make a fuss
D
Though it's obvious

Instr.

𝄆 D | D | G | G |
| C | G | D | A 𝄇

Chorus 3

G A D D7
𝄆 And it's hi-ho silver lining
G A G A
And away you go, well ba - by
D D7
I see your sun is shining
G A G
But I won't make a fuss
D
Though it's obvious 𝄇 *Repeat to fade*

Hit The Road Jack

Words & Music by Percy Mayfield

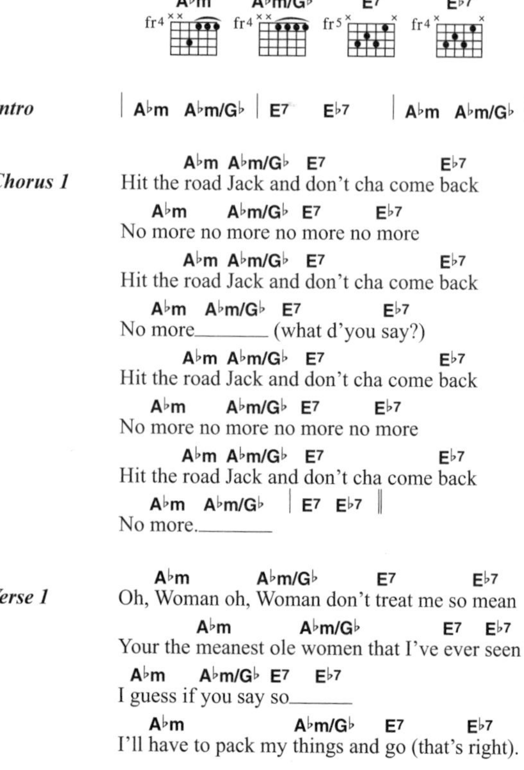

Intro

| A♭m A♭m/G♭ | E7 E♭7 | A♭m A♭m/G♭ | E7 E♭7 N.C. ‖

Chorus 1

A♭m A♭m/G♭ E7 E♭7
Hit the road Jack and don't cha come back
A♭m A♭m/G♭ E7 E♭7
No more no more no more no more
A♭m A♭m/G♭ E7 E♭7
Hit the road Jack and don't cha come back
A♭m A♭m/G♭ E7 E♭7
No more_______ (what d'you say?)
A♭m A♭m/G♭ E7 E♭7
Hit the road Jack and don't cha come back
A♭m A♭m/G♭ E7 E♭7
No more no more no more no more
A♭m A♭m/G♭ E7 E♭7
Hit the road Jack and don't cha come back
A♭m A♭m/G♭ | E7 E♭7 ‖
No more._______

Verse 1

A♭m A♭m/G♭ E7 E♭7
Oh, Woman oh, Woman don't treat me so mean
A♭m A♭m/G♭ E7 E♭7
Your the meanest ole women that I've ever seen
A♭m A♭m/G♭ E7 E♭7
I guess if you say so______
A♭m A♭m/G♭ E7 E♭7
I'll have to pack my things and go (that's right).

Chorus 2

As Chorus 1

Verse 2

```
     A♭m            A♭m/G♭            E7          E♭7
Now Baby listen, Baby don't cha treat this way
        A♭m   A♭m/G♭       E7          E♭7
'Cause I'll be back on my feet some day
        A♭m           A♭m/G♭       E7      E♭7
(Don't care if you do cause it's under -stood
                    A♭m/G♭      E7               E♭7
You ain't got no money you just ain't no good)
       A♭m     A♭m/G♭  E7  E♭7
Well I guess if you say so______
   A♭m                  A♭m/G♭      E7          E♭7
I'll have to pack my things and go (that's right).
```

Chorus 3

```
        A♭m A♭m/G♭   E7                 E♭7
Hit the road Jack and don't cha come back
   A♭m      A♭m/G♭  E7         E♭7
No more no more no more no more
        A♭m A♭m/G♭   E7                 E♭7
Hit the road Jack and don't cha come back
   A♭m   A♭m/G♭   E7              E♭7
No more________ (what d'you say?)
        A♭m A♭m/G♭   E7                 E♭7
Hit the road Jack and don't cha come back
   A♭m      A♭m/G♭  E7         E♭7
No more no more no more no more
        A♭m A♭m/G♭   E7                 E♭7
Hit the road Jack and don't cha come back
   A♭m   A♭m/G♭  | E7  E♭7 ||
No more___
        E7                 E♭7       A♭m   A♭m/G♭
||: And don't cha come back no more________
     E7                  E♭7       A♭m   A♭m/G♭
And don't cha come back no more.________ :||
```

Repeat to fade

Hold On, I'm Comin'

Words & Music by Isaac Hayes & David Porter

A♭ (fr4) C♭ (fr7) D♭ (fr9) A♭7 (fr4) D♭7 (fr9) E♭7 (fr11) G♭

Intro | A♭ | C♭ | D♭ | A♭ ||

Verse 1
(A♭) A♭7
Don't you ever be sad,

Lean on me when times get bad.
D♭7
When the day comes and you are down

In a river of trouble and about to drown.

Chorus 1
A♭ C♭
Hold on, I'm coming.
D♭ A♭
Hold on, I'm coming.

Verse 2
A♭7
I'm on my way, your lover,

If you get cold yeah, I will be your cover.
D♭7
Don't have to worry, 'cause I'm here,

Don't need to suffer baby, 'cause I'm near.

Chorus 2
A♭ C♭
Hold on, I'm coming.
D♭ A♭
Hold on, I'm coming.
C♭
Hold on, I'm coming.
D♭ A♭
Hold on, I'm coming.

Lemme hear ya.

Bridge

```
D♭7
Reach out to me

For satisfaction yeah,

Look a-here baby, is all she gotta do.
C♭                                   D♭7
Call my name, yeah for quick re - action,
                E♭7
Yeah yeah yeah      yeah.
```

Interlude

```
| A♭    | G♭    | C♭    | D♭    |

| A♭    | C♭    | D♭    | A♭    ||
```

Verse 3

```
(A♭)            A♭7
Now don't you ever be sad,

Lean on me, when times are bad.
          D♭7
When the day comes, and you're down baby,

In a river of trouble, and about to drown.
```

Chorus 3

```
     A♭     C♭
Hold on, I'm coming.
     D♭     A♭
Hold on, I'm coming.
```

Outro

```
          A♭                         C♭
Just hold on, (don't you worry,)  I'm coming, (he we come.)
     D♭                              A♭
Hold on, (you're about to see,) I'm coming, (yeah.)
                                     C♭
Just hold on, (don't you worry,)  I'm coming, (he I come.)
     D♭                              A♭
Just hold on, (for satisfaction,)  I'm coming, (don't you worry.)
```

To Fade

Hole In My Shoe

Words & Music by Dave Mason

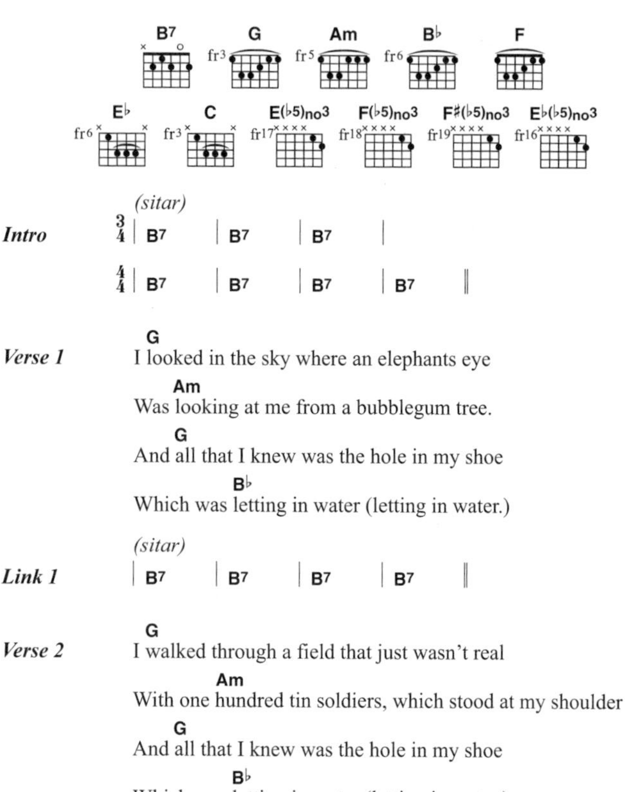

(sitar)

Intro 3/4 | B7 | B7 | B7 |

4/4 | B7 | B7 | B7 | B7 ||

Verse 1

```
G
I looked in the sky where an elephants eye
    Am
Was looking at me from a bubblegum tree.
    G
And all that I knew was the hole in my shoe
               B♭
Which was letting in water (letting in water.)
```

(sitar)

Link 1 | B7 | B7 | B7 | B7 ||

Verse 2

```
G
I walked through a field that just wasn't real
             Am
With one hundred tin soldiers, which stood at my shoulder
    G
And all that I knew was the hole in my shoe
               B♭
Which was letting in water (letting in water.)
```

synth.

Link 2 | E(♭5)no3 | F(♭5)no3 | F♯(♭5)no3 | F♯(♭5)no3 | F ||

Bridge
spoken

F Eb
I climbed on the back of a giant albatross

C
Which flew through a crack in the cloud

F
To a place where happiness reigned

E♭ C
All the year round, and music played ever so loudly.

synth.

Link 3 | F♯(♭5)no3 | F(♭5)no3 E♭(♭5)no3 ||

Verse 3

G
I started to fall, and suddenly woke

Am
And the dew on the grass had soaked through my coat

G
And all that I knew was the hole in my shoe

B♭
Which was letting in water *(letting in water).*

Outro ||: B7 | B7 | B7 | B7 :|| *Repeat to fade*

I Am A Rock

Words & Music by Paul Simon

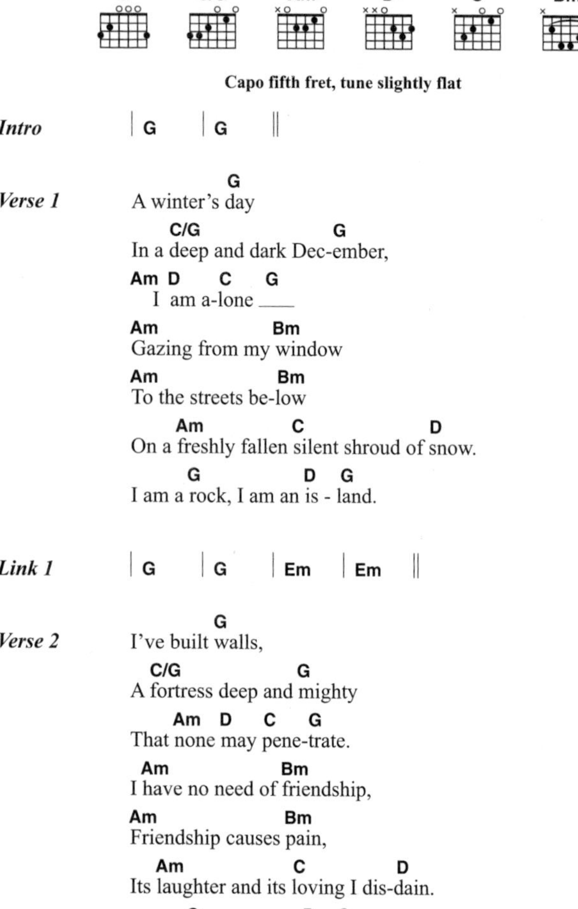

Capo fifth fret, tune slightly flat

```
Intro       | G      | G      ||

                        G
Verse 1     A winter's day
                 C/G                 G
            In a deep and dark Dec-ember,
            Am  D      C     G
              I  am a-lone ___
            Am                 Bm
            Gazing from my window
            Am                Bm
            To the streets be-low
                  Am              C                  D
            On a freshly fallen silent shroud of snow.
                   G               D   G
            I am a rock, I am an is - land.

Link 1      | G      | G      | Em     | Em     ||

                      G
Verse 2     I've built walls,
              C/G               G
            A fortress deep and mighty
                   Am   D    C    G
            That none may pene-trate.
              Am               Bm
            I have no need of friendship,
            Am                 Bm
            Friendship causes pain,
                Am                C               D
            Its laughter and its loving I dis-dain.
                   G               D   G
            I am a rock, I am an is - land.
```

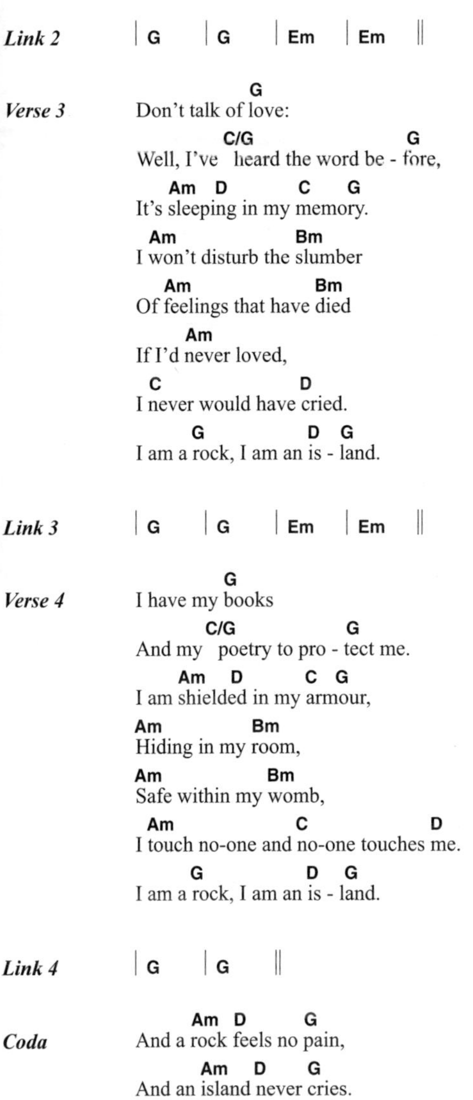

Link 2 | G | G | Em | Em ||

Verse 3

G
Don't talk of love:
C/G G
Well, I've heard the word be - fore,
Am D C G
It's sleeping in my memory.
Am Bm
I won't disturb the slumber
Am Bm
Of feelings that have died
Am
If I'd never loved,
C D
I never would have cried.
G D G
I am a rock, I am an is - land.

Link 3 | G | G | Em | Em ||

Verse 4

G
I have my books
C/G G
And my poetry to pro - tect me.
Am D C G
I am shielded in my armour,
Am Bm
Hiding in my room,
Am Bm
Safe within my womb,
Am C D
I touch no-one and no-one touches me.
G D G
I am a rock, I am an is - land.

Link 4 | G | G ||

Coda

Am D G
And a rock feels no pain,
Am D G
And an island never cries.

I Got You (I Feel Good)

Words & Music by James Brown

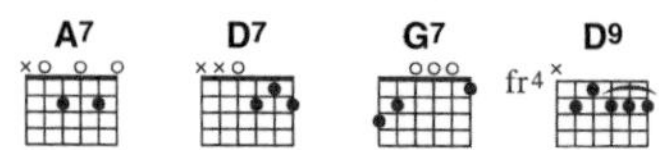

Verse 1

(A7) D7
Whoa! I feel good, I knew that I would, now,
G7 D7
I feel good, I knew that I would, now.
A7 G7 D9
So good, so good, I got you.

Verse 2

D7
Whoa! I feel nice, like sugar and spice,
G7 D7
I feel nice, like sugar and spice,
A7 G7 D9
So nice, so nice, 'cause I got you.

Link 1

| (D7) | (D7) | (D7) | (D7) ||

Middle 1

G7
When I hold you in my arms
D7
I know I can do no wrong, now.
G7
When I hold you in my arms
A7
My love can't do me no harm.

Verse 3

D7
And I feel nice, like sugar and spice,
G7 D7
I feel nice, like sugar and spice,
A7 G7 D9
So nice, so nice, I got you.

Link 2 | (D7) | (D7) | (D7) | (D7) ||

Middle 2

G7
When I hold you in my arms
D7
I know that I can't do no wrong.
G7
And when I hold you in my arms
A7
My love can't do me no harm.

Verse 4

D7
And I feel nice, like sugar and spice,
G7 D7
I feel nice, like sugar and spice,
A7 G7 D9
So nice, so nice, well I got you.

Verse 5

N.C. D7
Whoa! I feel good, like I knew that I would, now,
G7 D7
I feel good, I knew that I would.
A7 G7 D9
So good, so good, 'cause I got you,
A7 G7 D9
So good, so good, 'cause I got you,
A7 G7 D9 | D9 ||
So good, so good, 'cause I got you.

I'm Alive

Words & Music by Clint Ballard, Jr.

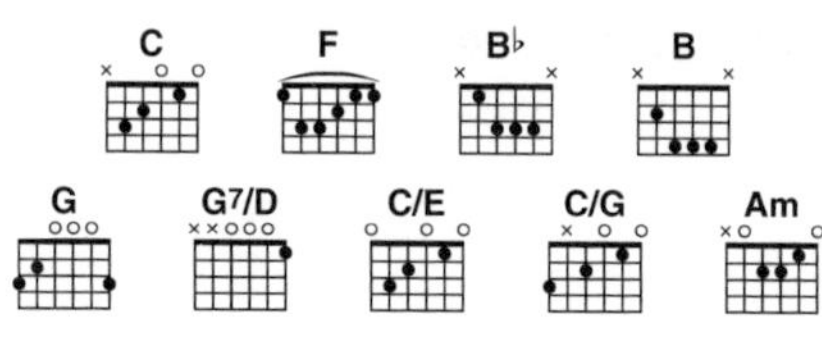

Verse 1

```
           C                           F  C
Did you ever see a man with no heart?
B♭                 G
Baby, that was me
       C                                F   C
Just a lonely, lonely man with no heart
B♭                     G    F   G
'Til you set me free.
```

Chorus 1

```
              C                G7/D
Now I can breathe, I can see
       C/E           F
I can touch, I can feel
       C/G                            Am
I can taste all the sugar sweetness in your kiss
C/G                                Am
You give me all the things I've ever missed
      B♭
I've never felt like this
           G     F        G     B♭        G    F   G
I'm a - live, I'm a - live, I'm a - live.
```

Verse 2

```
  C                               F    C
I used to think that I was liv - ing
B♭           G
Baby, I was wrong
       C                                  F    C
No, I never knew a thing about liv - ing
B♭                        G    F  G
'Til you came a - long.
```

```
                     C                    G7/D
Chorus 2     Now I can breathe, I can see
                   C/E           F
             I can touch, I can feel
                   C/G                              Am
             I can taste all the sugar sweetness in your kiss
             C/G                              Am
             You give me all the things I've ever missed
                  B♭
             I've never felt like this
                    G    F      G    B♭     G   F  G
             I'm a - live, I'm a - live, I'm a - live.

Instr.       | C      | F  C   | B♭     | G      |

             | C      | F  C   | B♭     | G  F   | G      ||

                     C                    G7/D
Chorus 3     Now I can breathe, I can see
                   C/E           F
             I can touch, I can feel
                   C/G                              Am
             I can taste all the sugar sweetness in your kiss
             C/G                           Am
             You give me all the love I've ever missed
                  B♭
             I've never felt like this
                    G    F      G    B♭     G   B♭  G
             I'm a - live, I'm a - live, I'm a - live
                    B♭  G
             I'm a - live___
                    B♭  G
             I'm a - live.___
```

In The Middle Of Nowhere

Words & Music by Buddy Kaye & Bea Verdi

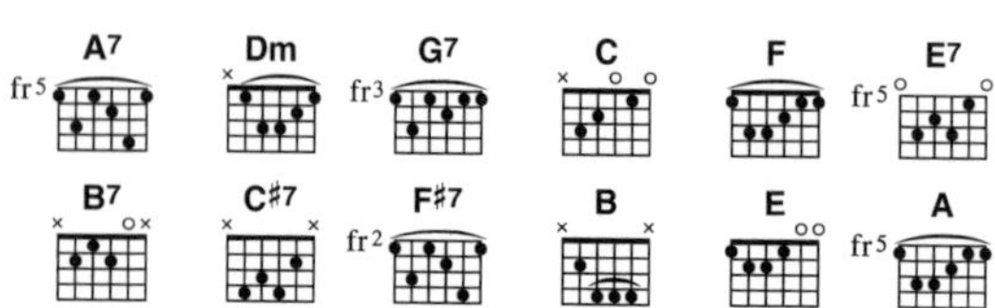

Intro | A7 | A7 | A7 | A7 ||

Verse 1

```
A7
   Where did our love lie?
Dm
   In the middle of nowhere
G7
   Will it soon pass me by?
C
   In the middle of nowhere.
F                      E7
   Baby won't you tell me
A7                 Dm
   What am I to do?
             G7
I'm in the middle of nowhere
                               C     B7
Getting nowhere with you.
```

Verse 2

```
          A7
Mmm,       where did my heart land?
Dm
   In the middle of nowhere
G7
   Where are the dreams I planned?
C
   In the middle of nowhere.
```

cont.

F E7
Listen to me baby,
A7 Dm
Listen to my plea,
G7
I'm in the middle of nowhere
C C#7 F#7
And it's worrying me.

Bridge 1.

B
Over and over again
B7
You tell me you need my love,
E
If what you say is true
E7
Why can't we be together?
A
Over and over you tell me
A7
I'm all that you're thinking of
B7
Baby you know that I love you
E N.C.
But I can't wait forever!

Verse 3

A7
Where does our love lie?
Dm
In the middle of nowhere
G7
How can you let it die?
C
In the middle of nowhere.
F E7
Are you gonna leave me,
A7 Dm
Leave my heart a - stray?
G7
I'm in the middle of nowhere
C C#7 F#7
Come and show me the way.

Bridge 2

B
Over and over again
B7
You tell me you need my love

Baby you know that I love you,
E N.C.
But I can't wait forever!

Verse 4

A7
Where does our love lie?
Dm
In the middle of nowhere
G7
How can you let it die?
C
In the middle of nowhere.
F   **E7**
Are you gonna leave me,
A7   **Dm**
And lead my heart a - stray?
G7
I'm in the middle of nowhere
C
Come and show me the way.

Outro

B7 **A7**
Hey! (Where does our love lie?) *(backing vocals cont. ad lib*

Come on now,

Where does our love lie?

Right slap in the middle of nowhere,

Right slap in the middle of nowhere,

Right slap in the middle of nowhere... *(To fade)*

I've Been Loving You Too Long

Words & Music by Otis Redding & Jerry Butler

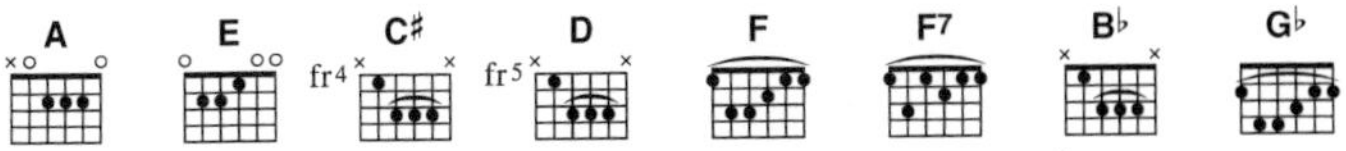

A E C♯ (fr4) D (fr5) F F7 B♭ G♭

Verse 1

A E A E
I've been loving you too long to stop now.

A C♯
You were tied and you want to be free

D F
My love is growing stronger, as you become a habit to me.

A E
Oh I've been loving you too long

A E
I don't wanna stop now, oh.

Verse 2

A E A E
With you my life has been so wonderful, I can't stop now.

A C♯
You were tired and your love is growing cold

D F
My love is growing stronger as our affair, affair grows old

A E A
I've been loving you oh too long to stop now

F7
Oh, oh, oh.

Outro

B♭ F
I've been loving you a little bit too long,

B♭
I don't wanna stop now.

G♭
Oh, oh

B♭
Don't make me stop now.

G♭
Oh baby

B♭
I'm down on my knees, please, don't make me stop now.

G♭
I love you, I love you,

I love you with all of my heart

B♭
And I can't stop now.

G♭ B♭
Please, please, please, please don't make me stop now. *To Fade*

In The Midnight Hour

Words & Music by Wilson Pickett & Steve Cropper

D B A G E

Intro | D | B | A | G | E A | E A ||

Verse 1

E A E
I'm gonna wait till the midnight hour
A E A E
That's when my love comes tumbling down,
A E A E
I'm gonna wait till the midnight hour
A E A E
When there's no one else around.

Chorus 1

A B A
I'm gonna take you girl and hold you
B A
And do all the things I told you
E A
In the midnight hour,
E A E A
Yes I am, oh yes I am.

| D | B ||

Verse 2

E A E
I'm gonna wait till the stars come out
A E A E
See that twinkle in your eyes,
A E A E
I'm gonna wait till the midnight hour
A E A E
That's when my love begins to shine.

```
                A               B            A
Chorus 2          You're the only girl I know
                   B              A
                That really love me so
                                  E  A
                In the midnight hour,      oh yeah.
                E      A         E  A
                  In the midnight hour,
                  D   B
                Yeah, alright,

                Play it for me one time, now.

Instrumental    | E   A  | E   A  | E   D  | B      |

                | E   A  | E   A  | E   A  | B      ||

                              E          A           E
Verse 3         I'm gonna wait till the midnight hour
                A                  E         A             E
                  That's when my love comes tumbling down,
                A               E  A                 E
                I'm gonna wait    till the midnight hour
                A                 E   A      E
                That's when my love begins to shine.
                      A        E
                |: Just you and I.   :|        Repeat to fade
                                               with vocal ad lib.
```

Israelites

Words & Music by Desmond Dacres & Leslie Kong

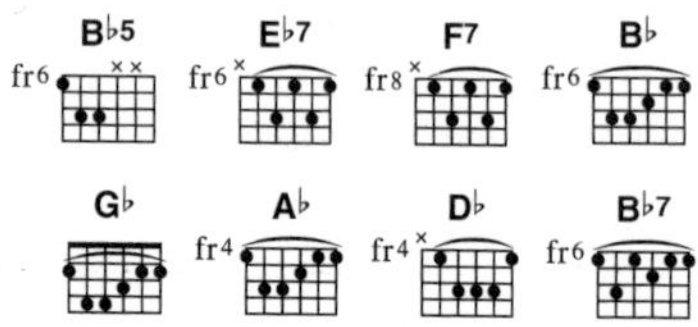

Verse 1

B♭5
Get up in the morning, slaving for bread, sir,

So that every mouth can be fed.
E♭7 F7 B♭ G♭ A♭
Poor— me, Israelite, sir.—

Verse 2

B♭
Get up in the morning, slaving for bread, sir,

So that every mouth can be fed.
E♭7 F7 B♭ D♭
Poor— me, Israelite.

Verse 3

B♭
My wife and my kids, they pack and leave me.

'Darling', she said, 'I was yours to be seen'.
E♭7 F7 B♭ D♭
Poor — me Israelite.

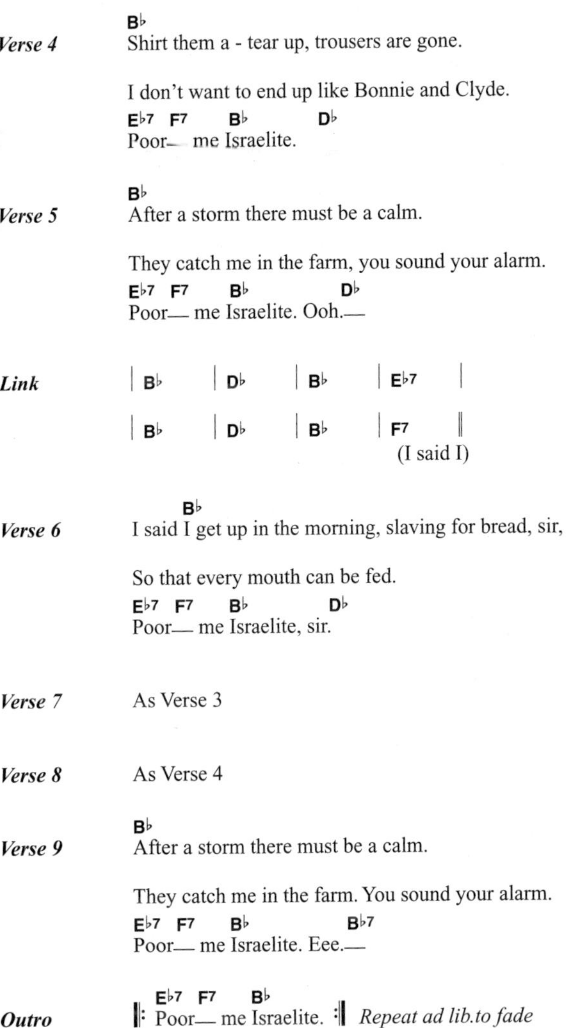

Verse 4

B♭
Shirt them a - tear up, trousers are gone.

I don't want to end up like Bonnie and Clyde.
E♭7 F7 B♭ D♭
Poor— me Israelite.

Verse 5

B♭
After a storm there must be a calm.

They catch me in the farm, you sound your alarm.
E♭7 F7 B♭ D♭
Poor— me Israelite. Ooh.—

Link

| B♭ | D♭ | B♭ | E♭7 |
| B♭ | D♭ | B♭ | F7 ‖
(I said I)

Verse 6

B♭
I said I get up in the morning, slaving for bread, sir,

So that every mouth can be fed.
E♭7 F7 B♭ D♭
Poor— me Israelite, sir.

Verse 7

As Verse 3

Verse 8

As Verse 4

Verse 9

B♭
After a storm there must be a calm.

They catch me in the farm. You sound your alarm.
E♭7 F7 B♭ B♭7
Poor— me Israelite. Eee.—

Outro

E♭7 F7 B♭
‖: Poor— me Israelite. :‖ *Repeat ad lib.to fade*

Je T'aime... Moi Non Plus

Words & Music by Serge Gainsbourg

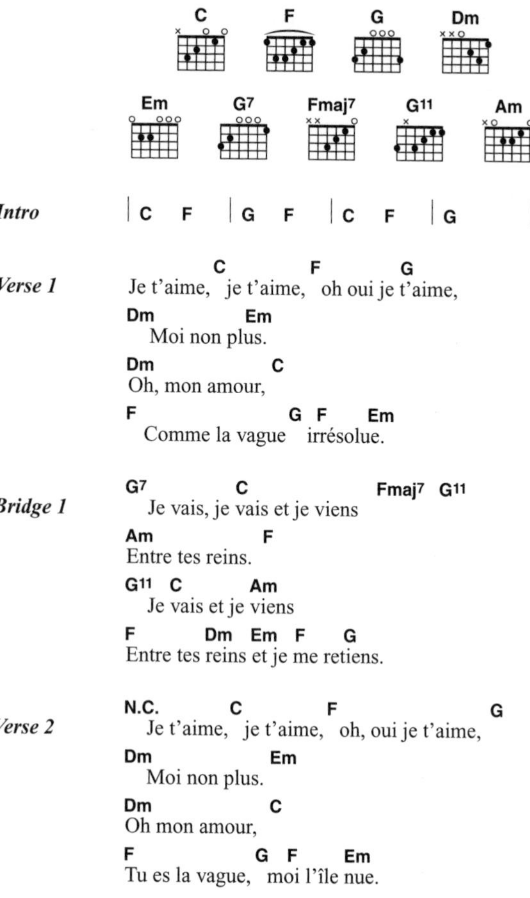

Intro | C F | G F | C F | G ||

Verse 1

C F G
Je t'aime, je t'aime, oh oui je t'aime,
Dm Em
Moi non plus.
Dm C
Oh, mon amour,
F G F Em
Comme la vague irrésolue.

Bridge 1

G7 C Fmaj7 G11
Je vais, je vais et je viens
Am F
Entre tes reins.
G11 C Am
Je vais et je viens
F Dm Em F G
Entre tes reins et je me retiens.

Verse 2

N.C. C F G
Je t'aime, je t'aime, oh, oui je t'aime,
Dm Em
Moi non plus.
Dm C
Oh mon amour,
F G F Em
Tu es la vague, moi l'île nue.

Bridge 2

G7 C Fmaj7 G11
Tu vas, tu vas et tu viens,
Am F
Entre mes reins;
G11 C Am
Tu vas et tu viens
F Dm Em F G
Entre mes reins et je te rejoins.

Verse 3

C F G
Je t'aime, je t'aime, oh oui je t'aime,
Dm Em
Moi non plus.
Dm C
Oh, mon amour,
F G F Em
Comme la vague irrésolue.

Bridge 3 As Bridge 2

Instrumental

| C F | G Dm | Em | Em Dm |
| C F | G F | Em | G7 ||

Bridge 4 As Bridge 2

Verse 4 As Verse 1

Bridge 5

G C Fmaj7 G11
Je vais, je vais et je viens
Am F
Entre tes reins.
G11 C Am
Je vais et je viens,
F Dm
Je me retiens,
Em F G
Non! Maintenant viens...

Coda

|: C F | G Dm | Em | Em Dm |
| C F | G F | Em | G7 :| *Repeat to fade*

Johnny Remember Me

Words & Music by Geoffrey Goddard

Cm (fr3) B♭ Fm Gm (fr3) E♭ (fr6) A♭ (fr4) G7 (fr3)

Intro | Cm B♭ | Cm | Cm | Cm | Cm ||

Verse 1

```
                Cm
When the mist's a-rising
              B♭
And the rain is falling
             Cm                  Fm       B♭         Cm
And the wind is blowing cold a - cross the moor
                             B♭
I hear the voice of my darling
        Cm              Fm    B♭         Cm
The girl I loved and lost a year ago.
```

Chorus 1

```
                  Gm
Johnny, re - member me
            E♭              B♭
Well it's hard to believe I know
                 E♭                           Fm
But I hear her singing in the sighing of the wind
B♭                 Cm       B♭       Cm
Blowing in the treetops way a - bove me
                 Gm
Johnny re - member me
          A♭  B♭         E♭
Yes I'll al - ways re - member
          Fm  B♭
'Til the day I die
     E♭      Fm
I'll hear her cry
Cm                       G7
Johnny, remember me.
```

```
Instr.      | Cm   | Fm   | Cm   | Fm   |

            | Cm   | B♭   | Cm   | B♭   |

            | G7   | G7   |

            | Cm   | B♭   | Cm   | B♭   ||


                 Cm
Verse 2     Well some day I guess
                 B♭                Cm
            I'll find myself an - other little girl
               Fm         B♭          Cm
            To take the place of my true love.


                   E♭               B♭
Chorus 2    But as long as I live I know
                          E♭                              Fm
            I'll hear her singing in the sighing of the wind
            B♭             Cm       B♭      Cm
            Blowing in the treetops way a - bove me
                         Gm
            Johnny, re - member me
                     A♭   B♭        E♭
            Yes I'll al - ways re - member
                     Fm  B♭
            'Til the day I die
                 A♭/C     Fm
            I'll hear her cry
                Cm
            Oh, Johnny, remember me.

            Johnny, remember me
```

Keep On Running

Words & Music by Jackie Edwards

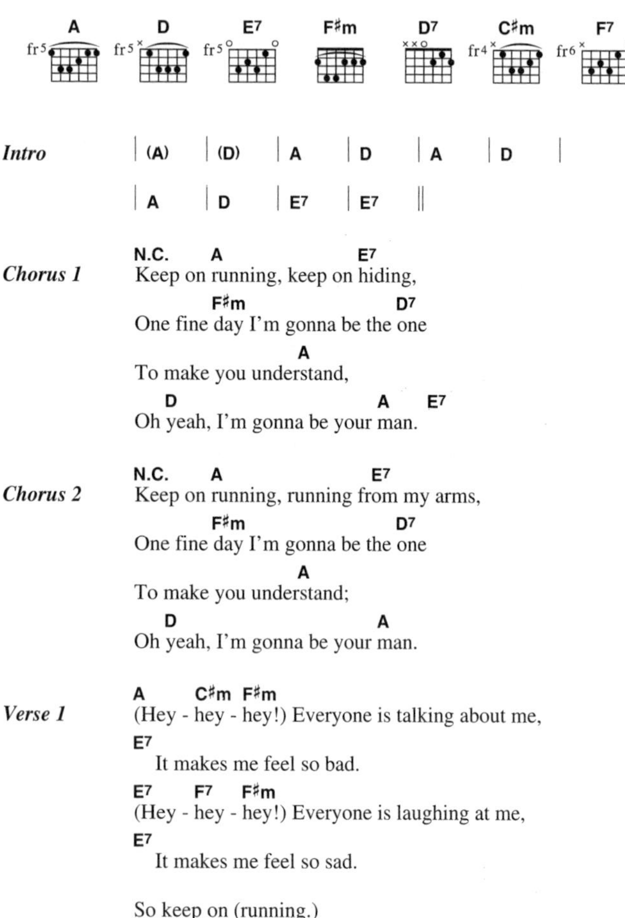

Intro

| (A) | (D) | A | D | A | D |

| A | D | E7 | E7 ||

Chorus 1

N.C. A E7
Keep on running, keep on hiding,
F♯m D7
One fine day I'm gonna be the one
A
To make you understand,
D A E7
Oh yeah, I'm gonna be your man.

Chorus 2

N.C. A E7
Keep on running, running from my arms,
F♯m D7
One fine day I'm gonna be the one
A
To make you understand;
D A
Oh yeah, I'm gonna be your man.

Verse 1

A C♯m F♯m
(Hey - hey - hey!) Everyone is talking about me,
E7
It makes me feel so bad.
E7 F7 F♯m
(Hey - hey - hey!) Everyone is laughing at me,
E7
It makes me feel so sad.

So keep on (running.)

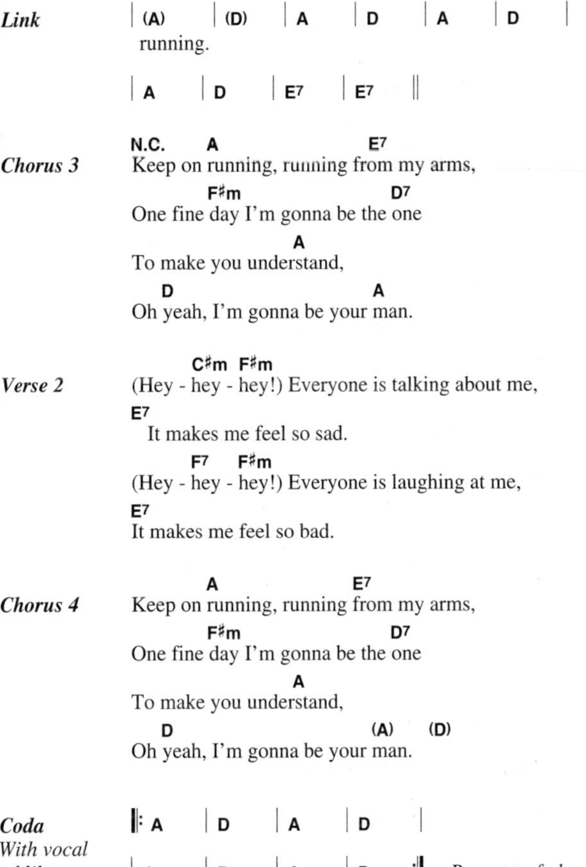

Link | (A) | (D) | A | D | A | D |
running.

| A | D | E7 | E7 ||

Chorus 3
N.C. A E7
Keep on running, running from my arms,
F♯m D7
One fine day I'm gonna be the one
A
To make you understand,
D A
Oh yeah, I'm gonna be your man.

Verse 2
C♯m F♯m
(Hey - hey - hey!) Everyone is talking about me,
E7
It makes me feel so sad.
F7 F♯m
(Hey - hey - hey!) Everyone is laughing at me,
E7
It makes me feel so bad.

Chorus 4
A E7
Keep on running, running from my arms,
F♯m D7
One fine day I'm gonna be the one
A
To make you understand,
D (A) (D)
Oh yeah, I'm gonna be your man.

Coda |: A | D | A | D |
With vocal ad lib. | A | D | A | D :| *Repeat to fade*

The Letter

Words & Music by Wayne Carson Thompson

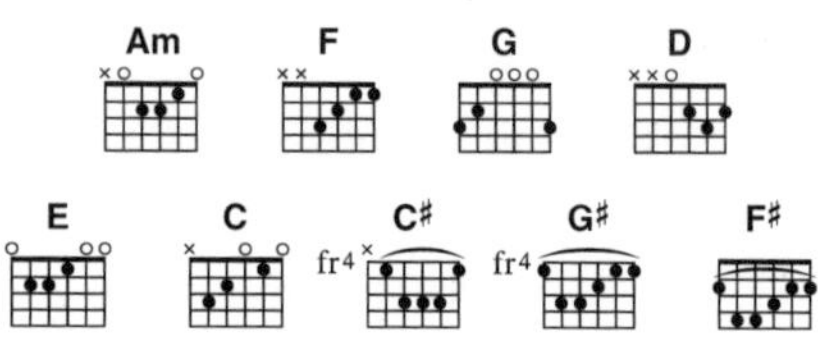

Verse 1

```
Am                           F
Give me a ticket for an aeroplane,
G                            D
Ain't got time to take a fast train,
Am                          F
Lonely days are gone, I'm a-going home
          E                          Am
'Cos my baby just wrote me a letter.
```

Verse 2

```
Am                                  F
I don't care how much money I got to spend,
G                           D
Got to get back to my baby again,
Am                          F
Lonely days are gone, I'm a-going home
          E                          Am
'Cos my baby just wrote me a letter.
```

Chorus 1

```
          C           G
Well she wrote me a letter,
          F         C         G
Said she couldn't live without me no more.
C              G
Listen mister, can't you see,
     F            C              G
I've got to get back to my baby once more?
E
    Anyway, yeah,
```

```
           Am                   F
Verse 3    Give me a ticket for an aeroplane,
           G                    D
           Ain't got time to take a fast train,
           Am                  F
           Lonely days are gone, I'm a-going home
                E                     Am
           'Cos my baby just wrote me a letter.

                C        G
Chorus 2   Well she wrote me a letter,
                F       C         G
           Said she couldn't live without me no more.
           C            G
           Listen mister, can't you see,
             F        C        G
           I've got to get back to my baby once more?
           E
             Anyway, yeah,

           Am                   F
Verse 4    Give me a ticket for an aeroplane,
           G                    D
           Ain't got time to take a fast train,
           Am                  F
           Lonely days are gone, I'm a-going home
                E                     Am
           'Cos my baby just wrote me a letter,
                E                     Am
           'Cos my baby just wrote me a letter.

Outro      ||: C#  G# | F#  C# | G#   | G#   :||  Repeat to fade
```

Lily The Pink

Traditional
Arranged by John Gorman, Roger McGough & Mike McGear

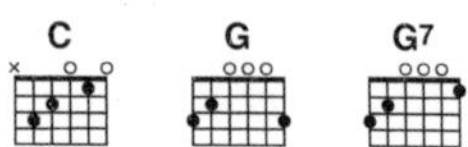

Chorus 1

```
            C                                 G
We'll drink a drink a drink to Lily the Pink the Pink the Pink
                          C
The saviour of the human race
                                 G
For she invented medicinal compound
        G7               C
Most efficacious in every case.
```

Verse 1

```
C                             G
Mr Flears had sticking out ears
                        C
And it made him awful shy
                                     G
And so she gave him medicinal compound
          G7             C
Now he's learning how to fly.
```

Verse 2

```
C                                  G
Brother Tony was known to be boney
                         C
He would never eat his meals,
                                       G
And so they gave him medicinal compound
          G7                   C
Now they move him round on wheels.
```

Chorus 2 As Chorus 1

Verse 3

C   G
Old Ebenezer thought he was Julius Caesar
                         C
And so they put him in a home
                              G
Where they gave him medicinal compound
                 G7   C
And now he's the Emperor of Rome.

Verse 4

C   G
Johnny Hammer had a terrible s- s- s- stammer,
                           C
He could hardly s- s- say a w- w- word,
                               G
And so they gave him medicinal compound
         G7   C
Now he's seen but never heard.

Chorus 3

We'll drink a drink a drink to Lily the Pink the Pink the Pink

The saviour of the human race

For she invented medicinal compound

Most efficacious in every case.

Verse 5

C   G
Aunt Millie went willy nilly,
                       C
When her legs they did recede,
                                G
And so they rubbed on medicinal compound
                  G7   C
Now they call her Millie Pede.

Verse 6

C   G
Jennifer Eccles had terrible freckles
        G7   C
And the boys all called her names,
                               G
But she changed with medicinal compound
        G7   C
Now she joins in all their games.

Chorus 4

As Chorus 3

Verse 7

```
C                           G
Lily the Pink she turned to drink she
                          C
Filled up with paraffin inside,
                          G
And despite her medicinal compound
      G7           C
Sadly pickled Lily died.
```

Verse 8 *(slower)*

```
C                        G
Up to heaven her soul ascended
                            C
Oh the church bells they did ring,
                            G
She took with her medicinal compound
         G7            C
Hark the herald angels sing.
```

Chorus 5

```
      C                                 G
We'll drink a drink a drink to Lily the Pink the Pink the Pink
                        C
The saviour of the human race
                           G
For she invented medicinal compound
         G7                C
Most efficacious in every case.
```

Massachusetts

Words & Music by Barry Gibb, Maurice Gibb & Robin Gibb

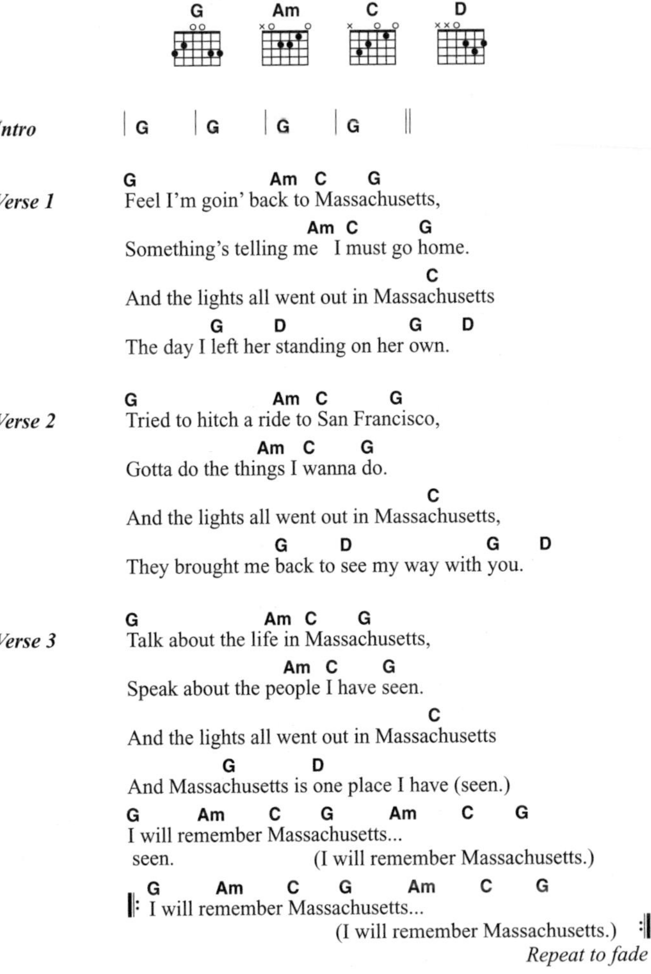

Intro | G | G | G | G ||

Verse 1

G Am C G
Feel I'm goin' back to Massachusetts,
Am C G
Something's telling me I must go home.
C
And the lights all went out in Massachusetts
G D G D
The day I left her standing on her own.

Verse 2

G Am C G
Tried to hitch a ride to San Francisco,
Am C G
Gotta do the things I wanna do.
C
And the lights all went out in Massachusetts,
G D G D
They brought me back to see my way with you.

Verse 3

G Am C G
Talk about the life in Massachusetts,
Am C G
Speak about the people I have seen.
C
And the lights all went out in Massachusetts
G D
And Massachusetts is one place I have (seen.)
G Am C G Am C G
I will remember Massachusetts...
seen. (I will remember Massachusetts.)

G Am C G Am C G
𝄆 I will remember Massachusetts...
(I will remember Massachusetts.) 𝄇
Repeat to fade

A Little Bit Me, A Little Bit You

Words & Music by Neil Diamond

A D G A* D/F♯ A7

Capo third fret

Intro ‖: A D | G D | A D | G D :‖

Verse 1

```
A*         G
Walk out,
A*               G
Girl don't you walk out
A*                     A*  G
We've got things to say.
A*        G  A*          G
Talk out,    let's have it talked out
      A*         G     A*  G
And things will be o - kay
```

Chorus 1

```
D    G D/F♯
Girl,
 A7              D  G
I don't wanna find
D/F♯     A7       D       G
   I'm a little bit wrong
D/F♯             A7      D      G D/F♯
   And you're a little bit right.
A7       D    G D/F♯
   I say girl
    A7               D    G
You know that it's true
D/F♯    A7       D        G        D/F♯
   It's a little bit me, (a little bit me)
           A7         D      G D/F♯
And it's a little bit you...    too.
```

Link 1 | A D | G D | A D | G D ‖

Verse 2

```
A*             G  A*           G
Don't know        just what I said wrong
    A*        G      A*  G
But girl I a - polo - gize
A*          G  A*                   G
Don't go,      there's where you belong
   A*       G                  A*  G
So wipe the tears from your eyes.
```

Chorus 2 As Chorus 1

Instr.

```
| A  D  | G  D  | A  D  | G  D  ||

|: A*  G | A*  G | A*  G | A*  G :|
```

Chorus 3

```
    D     G D/F♯
Oh girl,
  A7                D  G
I don't wanna find
D/F♯     A7       D       G
   I'm a little bit wrong
D/F♯               A7        D      G  D/F♯
   And you're a little bit right.
A7       D    G  D/F♯
   I say girl
     A7                D     G
You know that it's true
D/F♯     A7        D       G         D/F♯
   It's a little bit me, (a little bit me)
                A7       D      G  D/F♯
And it's a little bit you...    too.
```

Link 2

```
| A  D  | G  D  | A  D  | G        D         ||
                                It's a little bit
```

Outro

```
A*    G          A*          G
me,                       it's a little bit
(Oh____ it's a little bit    me)
A*    G          A*       G
you,                     Girl I'm
(Oh____ it's a little bit you)      (backing vocals cont. ad lib.)
A*    G  A* G           A*       G  A*
gone,____  no, no, no, no, no!
G        A*   G  A* G           A*        G  A*  G
Girl I'm gone,____  no, no, no, no, no!
    A*   G  A*  G
Hey girl,
    A*   G  A*
Hey girl,
G               A*
Please don't go...    (Fade out)
```

Living In The Past

Words & Music by Ian Anderson

Cm fr8 | F fr8 | E♭ fr6 | B♭ fr6 | G fr10 | F6/G fr10 | D fr10 | C fr8

Intro

5/4 | Cm F | Cm F | Cm F | Cm F |

| Cm F | Cm F | F E♭ B♭ | Cm |

| F E♭ B♭ | Cm | Cm (N.C.) | F |

| G F6/G | G F6/G | G F6/G | G F6/G |

| D G | D G | D G | D ||

Verse 1

```
C      B♭  F         C
Happy and I'm smil - ing,
B♭   F C      B♭          C     B♭  F
Walk a  mile to drink your water.
    C         B♭  F C
You know I'd love to love you,
B♭  F  C         B♭     F  C
And a - bove you there's no other.
F         E♭         B♭ F
We'll go     walk - ing out
        E♭ B♭   F        E♭    B♭ F  E♭  B♭
While o - thers shout of war's di- sa - as - ter.
C     B♭ F     C
   Oh, we won't give in
B♭   F  C     B♭ F  C
Let's go living in  the past.
```

Instr. 1

Cm F	Cm F	Cm F	Cm F
F E♭ B♭	Cm	F E♭ B♭	Cm
Cm (N.C.)	F
G F6/G	G F6/G	G F6/G	G F6/G
D G	D G	D G	D ‖

Verse 2

C B♭ F C
Once I used to join in
B♭ F C B♭ F C B♭ F
Eve - ry boy and girl was my friend.
C F C B♭ F C
Now there's re - vo - lution, but they don't know
B♭ F C
What they're fighting
F E♭ B♭ F
Let us close our eyes,
E♭ B♭ F E♭ B♭ F E♭ B♭
Out - side their lives go on much fast - er.
C B♭ F C
Oh, we won't give in
B♭ F C B♭ F C
We'll keep living in the past.

Instr. 2

| Cm F | Cm F | Cm F | Cm F |
| F E♭ B♭ | Cm | F E♭ B♭ | Cm | Cm (N.C.) ‖

Verse 3

C B♭ F C
Oh, we won't give in
B♭ F C B♭ F C B♭
Let's go living in the past.
F C B♭ F C
Oh no, no we won't give in
B♭ F C B♭ F C B♭ F
Let's go living in the past.

Outro

‖: Cm F :‖ *Repeat to fade*

Louie Louie

Words & Music by Richard Berry

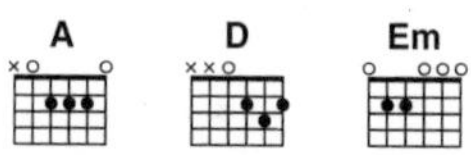

Tune guitar slightly flat

Intro | A D | Em D | A D | Em D ||

Chorus 1

A D Em D
Louie Louie, oh no,
A D Em D
We gotta go, yeah, ___ I said-a,
A D Em D
Louie Louie, oh baby,
A D Em D
We gotta go.

Verse 1

A D Em D
A fine little girl, she wait for me.
A D Em D
Me catch a ship across the sea,
A D Em D
Me sail a ship out all alone,
A D Em D
Me never think how I'll make it home.

Chorus 2 As Chorus 1

Verse 2

A D Em D
Three nights and days I sailed the sea,
A D Em D
I think of girl, oh, constantly.
A D Em D
Oh, on that ship I dream she there,
A D Em D
I smell the rose, ah, in her hair.

```
            A               D    Em     D
Chorus 3    Louie Louie,         oh no,
            A               D    Em          D
            We gotta go,         yeah, __  I said-a,
            A               D    Em          D
            Louie Louie,         oh baby,   I said-a
            A
            We gotta go.
            D  Em                            D
               Okay, let's give it to them! Right now!


Guitar solo ||: A   D  | Em   D  | A   D  | Em   D  :||  Play 4 times

            | A   D  | Em   D  ||


               A     D        Em     D
Verse 3     Me see Jamaican moon above,
             A        D         Em      D
            It won't be long me see me love.
               A       D      Em        D
            Me take her in my arms and then
             A      D        Em         D
            I tell her I'll never leave again.


            A               D    Em     D
Chorus 4    Louie Louie,         oh no,
            A               D    Em          D
            We gotta go,         yeah, __  I said-a,
            A               D    Em         D
            Louie Louie,         oh baby,   I said-a
            A                 D  Em  D
            We gotta go.


                  A                     D  Em  D
Coda        I said, we gotta go now,

            | A   D  | Em   D     | A          ||
                          Let's go.
```

Man Of The World

Words & Music by Peter Green

D A6 Gm G6 G Bm F#m Em

fr3 fr2 fr2

Intro

| D | A6 | Gm | D |

| D | A6 | G6 G | Bm ||

Verse 1

```
N.C.    D                    A6
Shall I tell you about my life?
       Gm                     D
They say I'm a man of the world.
      D                  A6
I've flown across every tide,
G6      G             Bm         Gm
   I've seen lots of pretty girls.
```

| D | D |

Verse 2

```
                  D               A6
I guess I've got everything I need,
Gm                      D
   I wouldn't ask for more,
                 D                 A6
And there's no-one I'd rather be,
G6                 G              Bm              Gm
   But I just wish that I'd never been born.
```

| D | D |

```
Guitar solo   | D      | A6     | Gm     | D      |

              | D      | A6     | Gm     | D      ||


                                F♯m
Chorus 2      And I need a good woman
                                            Em
              To make me feel like a good man should,
                     F♯m
              I don't say I'm a good man,
                                  Em          A6
              Oh but I would be if I could.


                       D                    A6
Verse 3       I could tell you about my life,
                   Gm                       D
              And keep you amused I'm sure
                  D                         A6
              A - bout all the times I've cried,
              G6                     G         Bm            Gm
                And how I don't want to be sad anymore.
                              D                 N.C.
              And how I wish I was in love.


Outro         | F♯m    | Em     | F♯m    | Em     | D      ||
```

Matthew And Son

Words & Music by Cat Stevens

B A E D Em

Intro

B	B	A	A
B	B	A	A	
E	E	

Verse 1

Up at eight, you can't be late

D E
For Matthew & Son, he won't wait.

E
Watch them run down to platform one

D E
And the eight-thirty train to Matthew & Son.

Chorus 1

B A
Matthew & Son, the work's never done, there's always something new.

B A
The files in your head, you take them to bed, you're never ever through

E A B E | E A | B E | Em | Em
And they've been working all day, all day, all day!

Verse 2

E
There's a five minute break and that's all you take,

D E
For a cup of cold coffee and a piece of cake.

horus 2

B   A
Matthew & Son, the work's never done, there's always something new.

B   A
The files in your head, you take them to bed, you're never ever through.

E   A   B   E | E A | B E | Em | Em ||
And they've been working all day, all day, all day!

iddle 8

Em   A   Em
He's got people who've been working for fifty years

A   Em
No one asks for more money 'cause nobody dares

A   Em | A | Em | A ||
Even though they're pretty low and their rent's in arrears

B   A   B   A
Matthew & Son, Matthew & Son, Matthew & Son, Matthew & Son,

E   A   B   E | E A | B E | Em | Em ||
And they've been working all day, all day, all day!

ink

| B | B | A | A ||

B   A   B   A
||: Matthew & Son, Matthew & Son, Matthew & Son, Matthew & Son, :||

(Repeat and fade)

Monday Monday

Words & Music by John Phillips

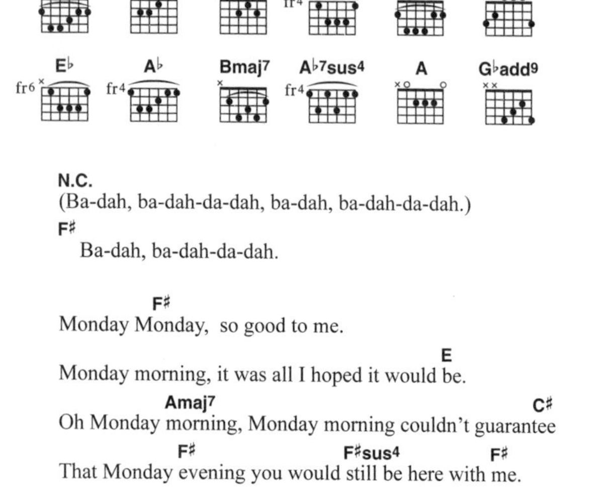

Intro

N.C.
(Ba-dah, ba-dah-da-dah, ba-dah, ba-dah-da-dah.)
F♯
Ba-dah, ba-dah-da-dah.

Verse 1

F♯
Monday Monday, so good to me.
E
Monday morning, it was all I hoped it would be.
Amaj7 C♯
Oh Monday morning, Monday morning couldn't guarantee
F♯ F♯sus4 F♯
That Monday evening you would still be here with me.

Verse 2

Monday Monday, can't trust that day,
E
Monday Monday, sometimes it just turns out that way.
Amaj7 C♯
Oh Monday morning you gave me no warning of what was to be.
F♯ F♯sus4 F♯
Oh Monday Monday, how could you leave and not take me?

Bridge 1

G
Every other day (every other day), every other day,
E
Every other day of the week is fine, yeah.
G
But whenever Monday comes (but whenever Monday comes)
F♯ E♭
But whenever Monday comes you can find me crying all of the time.

Verse 3

```
               A♭
Monday Monday, so good to me.
                                              G♭
Monday morning, it was all I hoped it would be.
              Bmaj7                                      E♭
But Monday morning, Monday morning couldn't guarantee
              A♭                     A♭sus4          A♭
That Monday evening you would still be here with me.
```

Bridge 2

```
A
Every other day (every other day), every other day,
                                F♯
Every other day of the week is fine, yeah.
A
But whenever Monday comes (but whenever Monday comes)

But whenever Monday comes
                 E♭              A♭        G♭add9
You can find me crying all of the time. ________
```

Verse 4

```
N.C.     A♭
Monday Monday, can't trust that day,

Monday Monday, it just turns out that way.

Monday Monday, won't go away.

Monday Monday, it's here to stay.
```

To fade

Mr. Tambourine Man

Words & Music by Bob Dylan

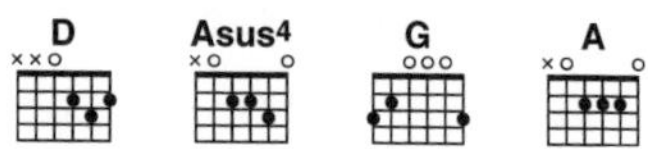

Intro | D | Asus4 | D | Asus4 ||

Chorus 1

```
G          A
Hey, Mr. Tambourine man
D                  G
Play a song for me
         D                  G                   A      Asus4 A Asus4
I'm not sleepy and there ain't no place I'm going to
G          A
Hey, Mr. Tambourine man
D                  G
Play a song for me
      D                G
In the jingle jangle morning
           A        D
I'll come following you
```

Verse 1

```
G              A
Take me for a trip
             D                G
Upon your magic swirling ship
         D                 G
All my senses have been stripped
          D                 G
And my hands can't feel to grip
          D                G
And my toes too numb to set
      D          G               A        Asus4 A Asus4
Wait only for my boot heels to be wander - ing
   G           A
I'm ready to go anywhere
   D          G
I'm ready for to fade
    D              G
Un - til my own pa - rade
           D                G
Cast your dancing spell my way
                   A      Asus4 A Asus4
I promise to go under it
```

Chorus 2

```
G        A
Hey, Mr. Tambourine man
D               G
Play a song for me
        D                 G                  A       Asus4 A Asus4
I'm not sleepy and there ain't no place I'm going to
G        A
Hey, Mr. Tambourine man
D               G
Play a song for me
       D           G
In the jingle jangle morning
              A
I'll come following you
```

Outro

```
|: D      | Asus4 :|
```

My Boy Lollipop

Words & Music by Morris Levy & Johnny Roberts

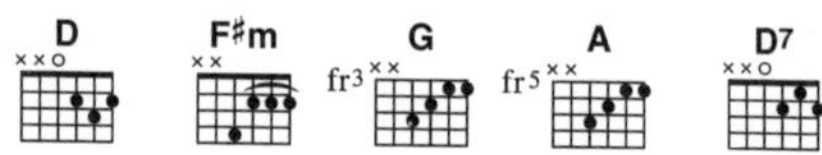

Intro

```
| D       ||
```

Verse 1

```
N.C     D        F#m   G
My boy lollipop,
              A       D        F#m   G
You made my heart go giddy up.
           A       D       F#m   G
You are as sweet as candy;
       A        D       F#m
You're my sugar dandy.
```

Verse 2

```
G         A       D        F#m  G
Whoa, oh, my boy lollipop,
      A    D         F#m   G
Never ever leave me,
        A        D     F#m
Because it would grieve me.
G        A       D  D7
My heart told me so,
```

Bridge 1

```
 G                                  D
I love you, I love you, I love you so.

But I don't want you to know,
 G
I need you, I need you, I need you so,
     A
And I'll never let you go.
```

Verse 3

```
            D          F#m  G
My boy lollipop,
                  A        D          F#m  G
You make my heart go giddy up.
               A        D    F#m  G
You set my world on fire,
               A       D    F#m
You are my one de - sire.
G       A     (D)
Oh my lolli - pop.
```

Solo

```
| D  F#m | G  A  | D  F#m | G  A  |
| D  F#m | G  A  | D      | D7    ||
```

Bridge 2 As Bridge 1

Verse 4 As Verse 3

Outro

```
F#m  G      A      D      F#m
       Oh my lolli - pop.
G        A     D      F#m
My boy lolli - pop.
G        A     D      F#m
My boy lolli - pop.
G        A     D
My boy lolli - pop.  To Fade
```

Needles And Pins

Words & Music by Jack Nitzsche & Sonny Bono

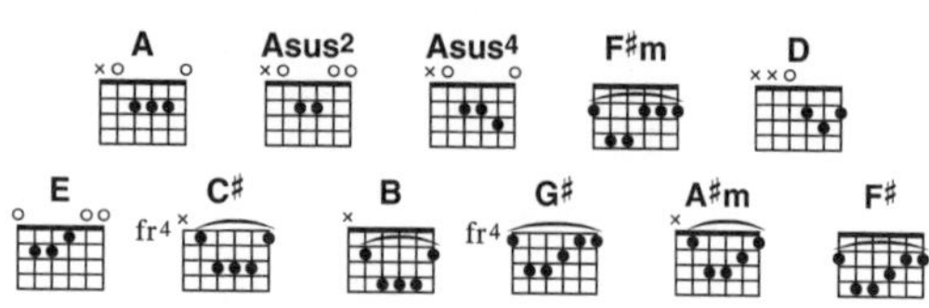

Intro 𝄆 A Asus2 A | Asus4 A Asus2 A 𝄇

Verse 1

A
I saw her today, I saw her face
F♯m
It was a face I love
A
And I knew I had to run away
F♯m
And get down on my knees and pray that they go away.

Chorus 1

A
But still they be - gin
F♯m
Needles and pins
D
Because of all my pride
E
The tears I gotta hide.

Verse 2

A
Hey, I thought I was smart I won her heart
F♯m
Didn't think I'd do, but now I see
A
She's worse to him than me
F♯m
Let her go ahead, take his love in - stead.

Chorus 2

A
And one day she will see just how to say please

F♯m
And get down on her knees

D
That's how it be - gins

E
She'll feel those needles and pins

Hurtin' her, hurtin' her.

Bridge

C♯ B
Why can't I stop and tell myself I'm wrong

I'm wrong, so wrong

A G♯
Why can't I stand up and tell myself I'm strong.

Verse 3

C♯
Because I saw her to - day, I saw her face

A♯m
It was a face I love

C♯
And I knew I had to run a - way

A♯m
And get down on my knees and pray that they go away.

Chorus 3

C♯
But still they be - gin

A♯m
Needles and pins

F♯
Because of all my pride

G♯
The tears I gotta hide

C♯
Oh! Needles and pins

Needles and pins

Needles and pins.

No Particular Place To Go

Words & Music by Chuck Berry

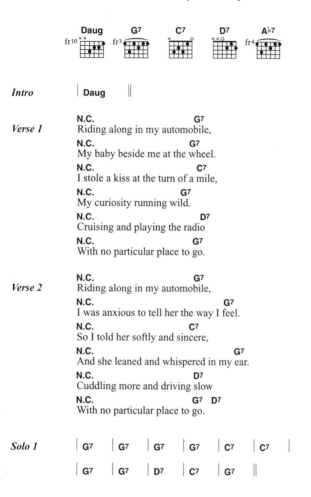

Daug fr10 | G7 fr3 | C7 | D7 | A♭7 fr4

Intro | Daug ||

Verse 1

```
N.C.                               G7
Riding along in my automobile,
N.C.                             G7
My baby beside me at the wheel.
N.C.                               C7
I stole a kiss at the turn of a mile,
N.C.                         G7
My curiosity running wild.
N.C.                                D7
Cruising and playing the radio
N.C.                               G7
With no particular place to go.
```

Verse 2

```
N.C.                               G7
Riding along in my automobile,
N.C.                                         G7
I was anxious to tell her the way I feel.
N.C.                             C7
So I told her softly and sincere,
N.C.                                            G7
And she leaned and whispered in my ear.
N.C.                               D7
Cuddling more and driving slow
N.C.                               G7   D7
With no particular place to go.
```

Solo 1 | G7 | G7 | G7 | G7 | C7 | C7 |
| G7 | G7 | D7 | C7 | G7 ||

Verse 3

```
G   N.C.                      G7
      No particular place to go,
N.C.                                    G7
So we parked way out on the kokomo.
N.C.                                        C7
The night was young and the moon was gold
N.C.                             G7
So we both decided to take a stroll.
N.C.                         D7
Can you imagine the way  I felt?
N.C.                           G7
I couldn't unfasten her safety belt.
```

Verse 4

```
N.C.                       G7
Riding along in my calaboose,
N.C.                           G7
Still trying to get her belt unloose.
N.C.                        C7
All the way home I held a grudge
N.C.                               G7
But the safety belt it wouldn't budge.
N.C.                            D7
Cruising and playing the radio
N.C.                            G7
With no particular place to go.
```

Solo 2

G7	G7	G7	G7	C7	C7
G7	G7	D7	C7	G7	G7 D7
G7	G7	G7	G7	C7	C7
G7	G7	D7	C7	G7	A♭7 G7 ‖

Only The Lonely

Words & Music by Roy Orbison & Joe Melson

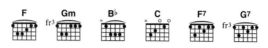

F   Gm (fr3)   B♭   C   F7   G7 (fr3)

Intro

N.C.   F
Dum dum, dum, dumby do - wah,
                  Gm
Ooh yeah, yeah, yeah, yah,
           B♭   C
Oh, oh, oh oh— wah,—
             F   C
Only the lonely,
             F
Only the lonely.

Verse 1

N.C.   F
Only the lonely
                               Gm
Will know the way I feel to - night,
C
Only the lonely
                 B♭   F
Will know this feeling ain't right.

Chorus 1

F   N.C.   F
There goes my baby,
N.C.   F7
There goes my heart,
N.C.   B♭
They're gone forever
N.C.   G7 C
So far apart.
N.C.   F
But only the lonely
       B♭ C
Know why,— I cry
             F
Only the lonely.

```
             F
Bridge 1     Dum, dum, dum, dumby do-wah,
                             Gm
             Ooh yeah, yeah, yeah, yah,
                        B♭    C
             Oh, oh, oh oh—  wah,—
                      F      C
             Only the lonely,
                      F
             Only the lonely.

             N.C.     F
Verse 2      Only the lonely
                                               Gm
             Will know the heartaches I've been through,
             C
             Only the lonely
                    B♭             F
             Know I cry and cry for you.

             F       N.C.   F
Chorus 2     Maybe tomorrow
             N.C.           F7
             A new romance
             N.C.            B♭
             No more sorrow,
             N.C.              G7   C
             But that's the chance
             N.C.
             You gotta take,
                     B♭           C                F
             If your lonely heart breaks, only the lonely.
                                          N.C.
             Dum, dum, dum, dumby do-wah.
```

Pictures Of Matchstick Men

Words & Music by Francis Rossi

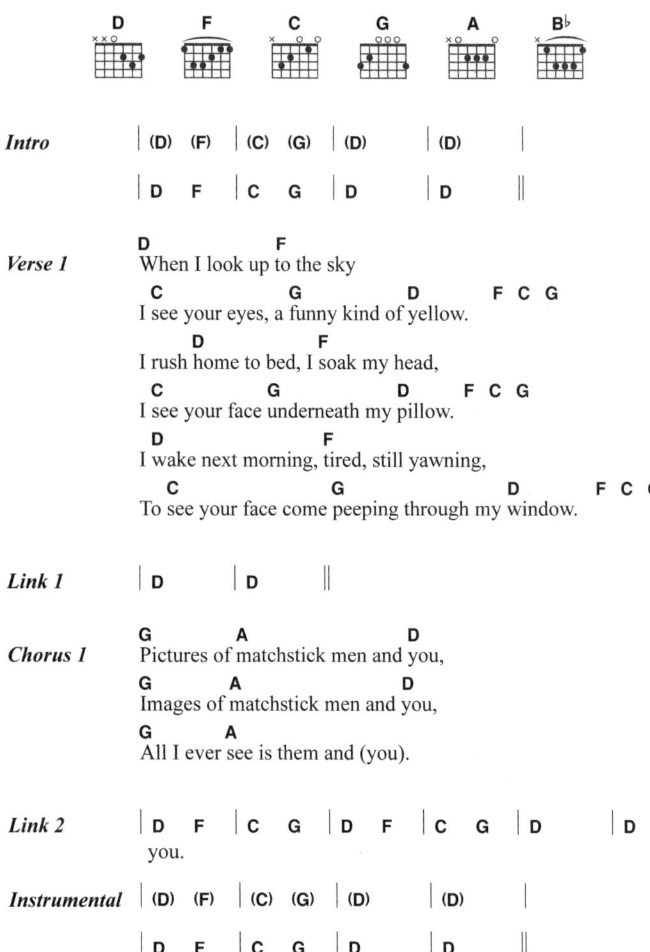

Intro
| (D) (F) | (C) (G) | (D) | (D) |
| D F | C G | D | D ||

Verse 1
D F
When I look up to the sky
C G D F C G
I see your eyes, a funny kind of yellow.
D F
I rush home to bed, I soak my head,
C G D F C G
I see your face underneath my pillow.
D F
I wake next morning, tired, still yawning,
C G D F C G
To see your face come peeping through my window.

Link 1
| D | D ||

Chorus 1
G A D
Pictures of matchstick men and you,
G A D
Images of matchstick men and you,
G A
All I ever see is them and (you).

Link 2
| D F | C G | D F | C G | D | D
you.

Instrumental
| (D) (F) | (C) (G) | (D) | (D) |
| D F | C G | D | D ||

Bridge

```
B♭
Windows echo your reflection
F                              C
When I look in their direction now.
B♭
When will this haunting stop,
     F                             A     D
Your face it just won't leave me alone.
```

Chorus 2

```
G           A                  D
Pictures of matchstick men and you,
G          A                   D
Images of matchstick men and you,
G          A            D
All I ever see is them and you.
```

Chorus 3

```
    F
You in the sky,
       C
You're with the sky,
       G
You make men cry.
    D        F
You lie, you in the sky,
       C
You're with the sky,
       G
You make men cry, you (lie).

| D    F   | C    G   ||
 lie.
```

Link 3

```
| (D)  (F)  | (C)  (G)  | (D)      | (D)      ||
```

Chorus 4

```
     D              F
||: Pictures of matchstick men,
   C           G
Pictures of matchstick men.  :||   Repeat and fade
```

Proud Mary

Words & Music by John Fogerty

C A G F D A7 Bm

Intro | C A | C A | C A G | F D | D | D

Verse 1

D
Left a good job in the city

Working for The Man every night and day,

And I never lost a minute of sleeping

Worrying 'bout the way things might have been.

A7
Big wheel keep on turning,

Bm
Proud Mary keep on burning.

Chorus 1

D
Rolling, rolling, rolling on a river.

Verse 2

D
Cleaned a lot of plates in Memphis,

Pumped a lot of pain down in New Orleans,

But I never saw the good side of the city

Till I hitched a ride on a river-boat queen.

A7
Big wheel keep on turning,

Bm
Proud Mary keep on burning.

Chorus 2

D
Rolling, rolling, rolling on a river.

Link 1	| C A	| C A	| C A G	| F D	| D	| D ||

Guitar solo	|: D	| D	| D	| D :|	
	| A	| A	| Bm	| Bm ||	

Chorus 3

D
Rolling, rolling, rolling on a river.

Link 2	| C A	| C A	| C A G	| F D	| D	| D ||

Verse 3

D
If you come down to the river

Bet you gonna find some people who live.

You don't have to worry 'cause you have no money,

People on the river are happy to give.

A7
Big wheel keep on turning,

Bm
Proud Mary keep on burning.

Chorus 4

D
|: Rolling, rolling, rolling on a river. :| *Play 4 times then fade*

Return To Sender

Words & Music by Otis Blackwell & Winfield Scott

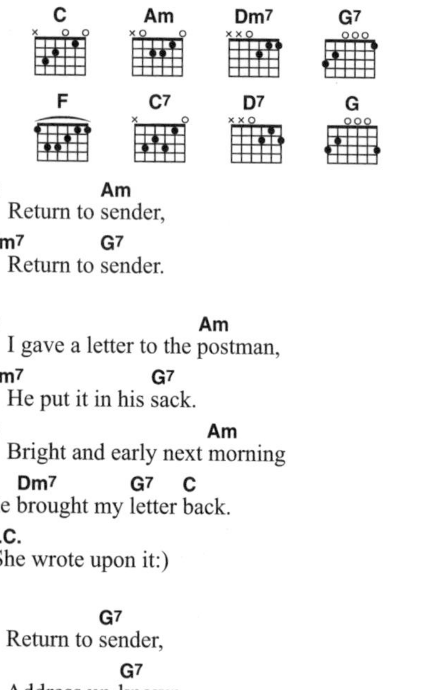

Intro

C Am
Return to sender,

Dm7 G7
Return to sender.

Verse 1

C Am
I gave a letter to the postman,

Dm7 G7
He put it in his sack.

C Am
Bright and early next morning

Dm7 G7 C
He brought my letter back.

N.C.
(She wrote upon it:)

Chorus 1

F G7
Return to sender,

F G7
Address un-known,

F G7
No such number,

C C7
No such zone.

F G7
We had a quarrel,

F G7
A lovers' spat.

D7 G
I write I'm sorry but my letter keeps coming back.

Verse 2

C Am
So then I dropped it in the mailbox,
Dm7 G7
And sent it special D
C Am
Bright and early next morning
Dm7 G7 C
It came right back to me.
N.C.
(She wrote upon it:)

Chorus 2

F G7
Return to sender,
F G7
Address un-known,
F G7
No such person,
C C7
No such zone.

Bridge

F
This time I'm gonna take it myself
C
And put it right in her hand,
D7
And if it comes back the very next day
G
Then I'll understand.
N.C.
(The writing in it.)

Chorus 3

F G7
Return to sender,
F G7
Address un-known,
F G7
No such number,
C C7
No such zone.

Chorus 4

F G7
𝄆 Return to sender. 𝄇 *Repeat to fade*

Runaway

Words & Music by Del Shannon & Max Crook

Am G F E7 A F♯m D

Intro | Am | Am | Am | Am ||

Verse 1

```
                        G
As I walk along I wonder what went wrong
         F                          E7
With our love, a love that was so strong
Am                         G
And as I still walk on, I think of the things we've done
     F                              E7
To - gether, while our hearts were young.
```

Pre-chorus 1

```
A
I'm a-walkin' in the rain
F♯m
Tears are falling and I feel the pain
A
Wishing you were here by me
F♯m
To end this misery.
```

Chorus 1

```
          A
And I wonder
                F♯m
I wa-wa-wa-wa-wonder
A                            F♯m
Why, why-why-why-why-why     she ran away
        D                    E7
And I wonder where she will stay
           A         D                   A       E7
My little runaway, run-run-run-run-runaway.
```

Instr. ‖: Am | Am | G | G |
| F | F | E7 | E7 :‖

Pre-chorus 2

A
I'm a-walkin' in the rain
F♯m
Tears are falling and I feel the pain
A
Wishing you were here by me
F♯m
To end this misery.

Chorus 2

A
And I wonder
F♯m
I wa-wa-wa-wa-wonder
A F♯m
Why, why-why-why-why-why she ran away
D E7
And I wonder where she will stay
A D A
My little runaway, run-run-run-run-runaway
D A
Run-run-run-run-runaway.

See Emily Play

Words & Music by Syd Barrett

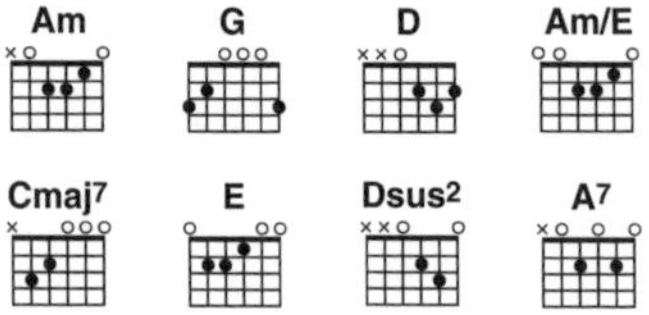

Am G D Am/E Cmaj7 E Dsus2 A7

Intro | Am | Am | Am | Am | Am | Am ||

Verse 1

```
Am  G                  D        Am/E
         Emily tries but misunderstands, (ah-ooo)
       Cmaj7
She's often inclined to borrow
Am                        G
Somebody's dreams till tomorrow.
```

Chorus 1

```
N.C.          E
There is no other day,
D               E
   Let's try it another way.
D                      E
   You'll lose your mind and play
D  Dsus2  A7
   Free    games for May.
              G
See Emily play.
```

Link **Sound effects**

Verse 2

```
Am  G                  D        Am/E
         Soon after dark Emily cries, (ah-ooo)
Cmaj7
Gazing through trees in sorrow,
Am                     G
Hardly a sound till tomorrow.
```

Chorus 2

N.C. E
There is no other day,
D E
Let's try it another way.
D E
You'll lose your mind and play
D Dsus2 A7
Free games for May.
G
See Emily play.

Organ solo ‖: Am | Am | Am | Am :‖ *Play 4 times*

Verse 3

Am G D Am/E
Put on a gown that touches the ground, (ah-ooo)
Cmaj7
Float on a river,
Am G
For ever and ever, Emily.

Chorus 3

N.C. E
There is no other day,
D E
Let's try it another way.
D E
You'll lose your mind and play
D Dsus2 A7
Free games for May.
G
See Emily play. ____

Coda | D | D | D | D |

| D | D | D | D ‖
To fade

Shakin' All Over

Words & Music by Johnny Kidd

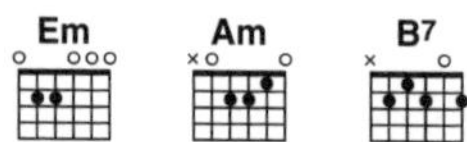

Intro | Em | Em | Em | Em ||

Verse 1

```
Em
When you move in right up close to me

That's when I get the shakes all over me.
```

Chorus 1

```
                                Am
Quivers down my backbone
           Em
I got the shakes down my knee bone
            Am
Yeah, the tremors in my thigh bone
Em
Shakin' all over.
```

| Em | Em | Em | Em ||

Verse 2

```
Em
Just the way that you say goodnight to me

Brings that feelin' on inside of me.
```

Chorus 2

Am
Quivers down my backbone

Em
I got the shakes down my thigh bone

Am
Yeah, the tremors in my back bone

Em
Shakin' all over.

Instr.

| Em | Em | Em | Em |

| Am | Am | Em | Em |

| B7 | Am | Em | Em | Em ||

Chorus 3

Am
Quivers down the backbone

Em
Yeah, the shakes in the knee bone

Am
I got the tremors in the thigh bone

Em
Shakin' all over.

| Em | Em ||

Outro

Em
Well, you make me shake and I like it, baby

Well, make me shake and I like it, baby

Well, shake, shake, shake.

She Loves You

Words & Music by John Lennon & Paul McCartney

Em A7 C G Em7

Bm D Cm (fr3) D7 G6

Intro

Em
She loves you, yeah, yeah, yeah,
A7
She loves you, yeah, yeah, yeah,
C G
She loves you, yeah, yeah, yeah, yeah.

Verse 1

(G) Em7
You think you lost your love,
Bm D
Well I saw her yesterday-yi-yay.
G Em7
It's you she's thinking of,
Bm D
And she told me what to say-yi-yay.
G Em
She says she loves you, and you know that can't be bad,
Cm D
Yes, she loves you, and you know you should be glad.

Verse 2

G Em7
She said you hurt her so,
Bm D
She almost lost her mind.
G Em7
But now she says she knows,
Bm D
You're not the hurting kind.
G Em
She says she loves you, and you know that can't be bad,
Cm D
Yes, she loves you, and you know you should be glad. Ooh.

Chorus 1

```
      Em
She loves you, yeah, yeah, yeah,
      A7
She loves you, yeah, yeah, yeah.
         Cm
With a love like that,
      D7                  G
You know you should be glad.
```

Verse 3

```
      G              Em7
You know it's up to you,
 Bm          D
I think it's only fair.
G                Em7
Pride can hurt you too,
  Bm        D
Apologise to her.
              G                                  Em
Because she loves you, and you know that can't be bad,
           Cm                                    D
Yes, she loves you, and you know you should be glad.   Ooh.
```

Chorus 2

```
      Em
She loves you, yeah, yeah, yeah,
      A7
She loves you, yeah, yeah, yeah.
         Cm
With a love like that,
      D7                  G     Em
You know you should be glad.
         Cm          N.C.
With a love like that,
      D                   G     Em
You know you should be glad.
         Cm          N.C.
With a love like that,
      D7                  G
You know you should be glad.
Em
   Yeah, yeah, yeah,
C                G6
Yeah, yeah, yeah, yeah.
```

She's Not There

Words & Music by Rod Argent

Am7 D F A7

Dm Am Em C E7

```
Intro          | Am7  D  | Am7  D  | Am7  D  | Am7  D  ||

               Am7              D            Am7 D
Verse 1          Well no-one told me about   her,
               Am7   F                 Am7  D
                 The way she lied.
               Am7              D            Am7 D
                 Well no-one told me about   her,
               Am7             F             A7
                 How many people cried.

                              D       Dm          Am
Pre-chorus 1   But it's too late to say you're sorry
                                Em                       Am
               How would I know? Why should I care?
                              D        Dm         C
               Please don't bother trying to find her,
                         E7
               She's not there.

                                                  Am
Chorus 1       Well let me tell you 'bout the way she looked:
               D                Am         F              Am
                 The way she acted, the colour of her hair,
               D                  Am
                 Her voice was soft and cool,
               F                  Am                  D
                 Her eyes were clear and bright,
                             A7     N.C.
               But she's not there.
```

Link | Am7 D | Am7 D | Am7 D | Am7 D ||

Verse 2

```
Am7               D            Am7 D
   Well no-one told me about    her,
Am7     F             Am7  D
   What could I do?
Am7               D            Am7 D
   Well no-one told me about    her,
Am7        F                A7
   Though they all knew.
```

Pre-chorus 2 As Pre-chorus 1

Chorus 2 As Chorus 1

Organ solo | Am7 D | Am7 D | Am7 D | Am7 D | Am7 D |

| Am7 D | Am7 D | A7 | A7 ||

Pre-chorus 3

```
                D       Dm         Am
But it's too late to say you're sorry
                Em                   Am
How would I know? Why should I care?
                 D       Dm        C
Please don't bother trying to find her,
           E7
She's not there.
```

Chorus 3

```
                                      Am
Well let me tell you 'bout the way she looked:
D                  Am       F               Am
   The way she acted, the colour of her hair,
D                  Am
   Her voice was soft and cool,
F                  Am                D
   Her eyes were clear and bright,
              A7
But she's not there.
```

Respect

Words & Music by Otis Redding

Intro | C7 | F7 | C7 | F7 ||

Verse 1

G
What you want
F
Baby, I got
G
What you need
F
Do you know I got it?
G
All I'm askin'
F C7
Is for a little re - spect when you come home
(just a little bit)
F7 C7
Hey baby when you get home
(just a little bit) (Just a little bit)
F7
Mis - ter (just a little bit).

Verse 2

G
I ain't gonna do you wrong
F
While you're gone
G
Ain't gonna do you wrong
F
'Cause I don't wanna
G
All I'm askin'

```
              F                    C7
cont.           Is for a little re - spect when you come home
                                                      (just   a     little bit)

                 F7                                        C7
              Ba - by         when you get home
                     (just a little  bit)                 (just a little bit)

                   F7
              Yeah     (just a little bit).

              G
Verse 3         I'm about to give you
              F
                All of my money
              G
                And all I'm askin'
              F
                In return, honey
              G                  F
                Is to give me      my profits
                                C7
              When you get home.                      Yeah,
                               (just a, just a, just a, just a)
                 F7                                     C7
              Ba - by,             When you get     home
              (just a, just a,   just  a,       just a,          just a little bit)
                  F7
              Yeah    (just a little bit).

Instr.        | Em9     | Em9     | Em9     | Em9     |

              | Em9     | Em9     | Em9     | Em9     ||

              G
Verse 4         Ooo, your kisses
              F
                Sweeter than honey
              G
                And guess what?
              F
                So is my money
              G                        F
                All I want you to do for me
```

cont.

C7
Is give it to me when you get home
(Re, re, re, re)

F7 C7
Yeah baby, whip it to me, when you get home,
(re, re, re, re - spect, just a little bit)

F7
now (just a little bit).

Chorus

C7 (N.C.) C7
R-E-S-P-E-C-T

F7 (N.C.) F7
Find out what it means to me

C7 (N.C.) C7
R-E-S-P-E-C-T

F7 (N.C.)
Take care, TCB

Outro

C7
Oh!
(Sock it to me, sock it to me, sock it to me,

F7
A little re - spect,
sock it to me, sock it to me, sock it to me, sock it to me, sock it to r

C7
Whoa, babe
(just a little bit)

F7
A little re - spect (just a little bit)

C7
I get tired (just a little bit)

F7
Keep on tryin' (just a little bit)

C7
You're runnin' out of foolin'
(just a little bit)

F7
And I ain't lyin' (just a little bit)

C7
'spect,
(Re, re, re, re)

F7
Come on...
(Re, re, re,

C7 F7
Or you might walk in, and find out I'm gone
re - spect, just a little bit) *(To fade)*

Shout

Words & Music by Ronald Isley, Rudolph Isley & O'Kelly Isley, Jr.

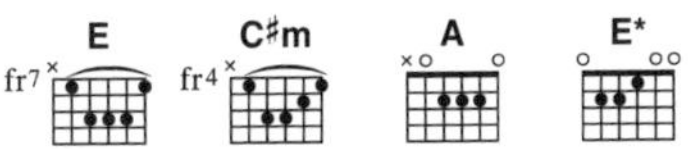

N.C.
Intro Well...

E
Chorus 1 You know you make me wanna shout,

Look my hand's jumpin'
C♯m
(Shout) look my heart's bumpin'
E
(Shout) throw my head back,
C♯m
(Shout) ah, come on now,
E
(Shout)
C♯m
Don't forget to say you will, (shout)
E C♯m
Yeah, don't forget to shout, yeah, yeah, yeah, yeah, yeah.
E C♯m E
Say you will, throw your head back baby,
C♯m
(Say you will), ah come on, ah come on
E C♯m E
(Say you will), throw your head back ooh,
C♯m
(Say you will), come on now,
E
Say that you love me,
C♯m
(Say) say that you'll need me,
E
(Say) say that you want me
C♯m
(Say) ain't gonna grieve me

cont.

E
(Say) ah, come on now,
C♯m
(Say) ah, come on now,
E
(Say) ah, come on now,
C♯m
(Say).

Verse 1

N.C.   E   C♯m
I still re - member when you used to be nine years old, yeah yeah,
          E   C♯m
I was in love with you from the bottom of my soul, yeah, yeah.
                E   C♯m
Now that's he's old enough, enough to know,
                 E   C♯m
You wanna need   me, ya wanna love me so.

Bridge

N.C.   E
I want you to know,

I said I want you to know right now,

You been good to me baby

Better than I've been good to myself, yeah, yeah.

And if you ever leave me, I don't want nobody else, yeah, yeah,

Because I want you to know,

No, I said I want you to know right now.

Chorus 2

N.C.   E
You know you make me wanna shout, wooo
C♯m
Shout, wooo,
E
Shout, wooo,
C♯m
Shout, wooo!
E   C♯m   E
(Shout) Alright, (shout) alright, (shout) alright,
C♯m   E   C♯m
(Shout) Take it easy, (shout) take it easy, (shout) take it easy.
E   C♯m   E   C♯m
(Shout) Alright, (shout) alright, (shout) alright, (shout!)

Outro

```
N.C.  E          C#m
Hey,___ (hey,___)
                 E          C#m
Hey-hey-hey-hey, (hey,___)
                 E          C#m
Hey-hey-hey-hey, (hey,___)
                 E
Hey-hey-hey-yey, (hey-hey-hey...)
                                C#m
Shout now, jump up and shout now,
              E
Everybody shout now,
              C#m
Everybody shout now,
              E                          C#m
Everybody shout, shout, shout, shout, shout, shout,
   E                           C#m
Ah shout, shout, shout, shout, shout, shout,
E                C#m
Oh, shout, shout, shout, shout, shout,
E                                C#m
Shout, shout, shout, shout, shout, shout.
   E
Ah, shout!
N.C.        A   E*
Well I feel al - right!
```

Something In The Air

Words & Music by John Keen

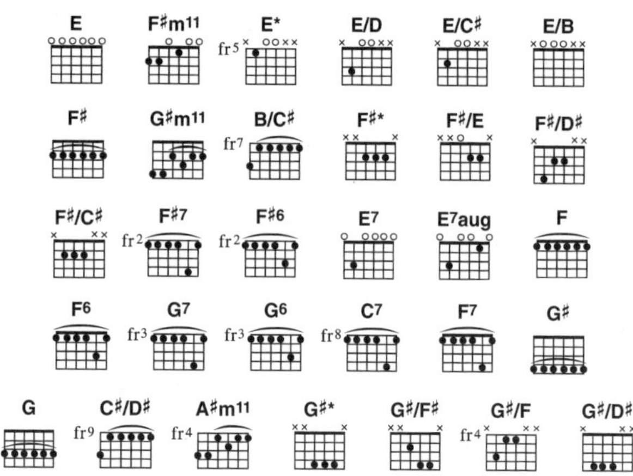

Tune guitar to open E chord; E, B, E, G♯, B, E.

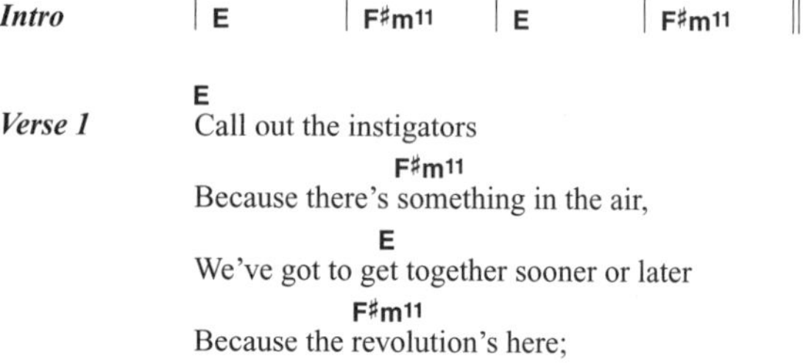

Intro | E | F♯m11 | E | F♯m11 ||

Verse 1

E
Call out the instigators
F♯m11
Because there's something in the air,
E
We've got to get together sooner or later
F♯m11
Because the revolution's here;

Pre-chorus 1

```
                          E*     | E/D    | E/C#   | E/B    |
And you know it's right,
E*          E/D         E/C#   | E/B    ||
   And you know that it's right.
```

Chorus 1

```
F#m11
   We have got to get it together,
                                    E*   | E/D   | E/C#   | E/B   |
We have got to get it together now.

| E*     | E/D    | E/C#   | E/B    ||
```

Link 1

```
| F#       | G#m11    | F#       | B/C#     ||
```

Verse 2

```
F#
Lock up the streets and houses
                  G#m11
Because there s something in the air,
               F#
We ve got to get together sooner or later
              G#m11
Because the revolution s here;
```

Pre-chorus 2

```
                          F#*    | F#/E   | F#/D#  | F#/C#  |
And you know it s right,
F#*         F#/E        F#/D#    F#/C#
   And you know that it s right.
```

Chorus 2

```
G#m11
   We have got to get it together,

We have got to get it together (now.)
```

Piano solo | F♯7 F♯ F♯6 | F♯ F♯6 F♯ F♯6 |
now.

| E7 E7aug E7 E7aug | E7 E7aug E7 E7aug |

| F F6 F F6 | F F6 F F6 |

| G7 | G6 | C7 | F7 | C7 | F7 |

| F7 | F7 | C7 | G7 | C7 | F7 |

| C7 | F7 | C7 | G♯ G G♯ G | C7 F7 ||

Link 2 | G♯ | C♯/D♯ | G♯ | C♯/D♯ ||

Verse 3

G♯
Hand out the arms and ammo,
A♯m11
We're going to blast our way through here,
G♯
We've got to get together sooner or later
A♯m11
Because the revolution's here;

Pre-chorus 3

G♯* | G♯/F♯ | G♯/F | G♯/D♯ |
And you know it's right,
G♯* G♯/F♯ G♯/F G♯/D♯
And you know that it's right.

Chorus 3

A♯m11
We have got to get it together,
G♯
We have got to get it together now.

Something's Gotten Hold Of My Heart

Words & Music by Roger Cook & Roger Greenaway

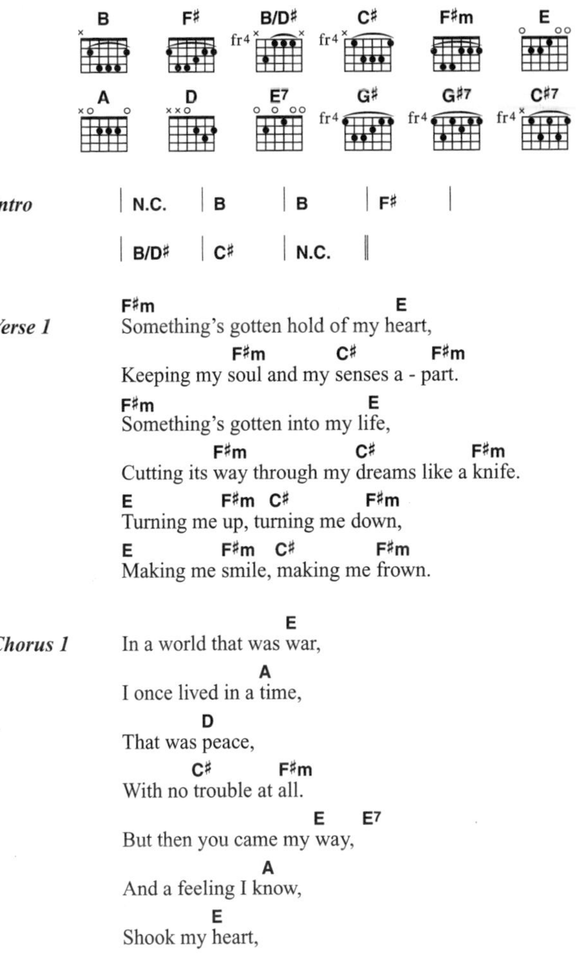

Intro | N.C. | B | B | F♯ |
| B/D♯ | C♯ | N.C. ‖

Verse 1

F♯m E
Something's gotten hold of my heart,
F♯m C♯ F♯m
Keeping my soul and my senses a - part.
F♯m E
Something's gotten into my life,
F♯m C♯ F♯m
Cutting its way through my dreams like a knife.
E F♯m C♯ F♯m
Turning me up, turning me down,
E F♯m C♯ F♯m
Making me smile, making me frown.

Chorus 1

E
In a world that was war,
A
I once lived in a time,
D
That was peace,
C♯ F♯m
With no trouble at all.
E E7
But then you came my way,
A
And a feeling I know,
E
Shook my heart,

cont.

B E
And made me want you to stay.

B E
All of my nights

B D C♯
And all of my days.—

Verse 2

I wanna tell you now

F♯m E
Something gotta hold of my hand,

F♯m C♯ F♯m
Dragging my soul to a beautiful land.

E
Yeah,— something has invaded my night,

F♯m C♯ F♯m
Painting my sleep with a colour so bright.

E F♯m C♯ F♯m
Changing the grey, changing the blue,

E F♯m C♯ F♯m N.C.
Scarlet for me, scarlet for you.

Link

| B | B | F♯ | B/D♯ | G♯ | G♯ ‖
(I've)

Bridge

N.C. G♯
I've got to know if this is the real thing,

N.C. C♯
I've got to know what's making my heart sing, oh yeah.

A smile and I am lost for a lifetime,

Each minute spent with you is the right time.

Every hour yeah, every day yeah,—

C♯7
You touch me and my mind goes astray, yeah.—

And baby yeah, and baby yeah.

Verse 3

F♯m E
Something's gotten hold of my hand,

F♯m C♯ F♯m
Dragging my soul to a beautiful land.

E
Yeah, something's gotten into my life,

cont.

```
             F♯m           C♯            F♯m
Cutting its way through my dreams like a knife.
E           F♯m  C♯         F♯m
Turning me up, turning me down,
E           F♯m   C♯          F♯m
Making me smile, making me frown.
```

Chorus 2

```
                    E
In a world that was war,
                A
I once lived in a time
         D
That was peace
        C♯m       F♯m
With no trouble at all.
         N.C. F♯m  N.C. F♯m  N.C. F♯m
But then you,          you,         you,
N.C.          E     E7
You came my way,
               A
And a feeling I know
          E
Shook my heart,
              B            E
And made me want you to stay.
B         E
All of my nights,
B             D     C♯
And all of my days.—
```

Verse 4

```
I wanna tell you now,
F♯m                            E
Something's gotten hold of my heart,
             F♯m          C♯         F♯m
Keeping my soul and my senses a - part.
                                   E
Yeah,— something has invaded my night,
            F♯m           C♯         F♯m
Painting my sleep with a colour so bright.
E             F♯m      C♯             F♯m
Changing the grey,— changing the blue,—
E          F♯m   C♯         F♯
Scarlet for me, scarlet for you.
```

Stand By Me

Words & Music by Ben E. King, Jerry Leiber & Mike Stoller

A F♯m D E

Intro | N.C.(A) | (A) | (F♯m) | (F♯m) |
| (D) | (E) | (A) | (A) ||

```
                 A
Verse 1   When the night has come
          F♯m
             And the land is dark
                     D                  E                         A
          And the moon is the only light we'll see
                A
          No, I won't be afraid
                F♯m
          Oh, I won't be afraid
                    D                  E                        A
          Just as long as you stand, stand by me.

          So darling, darling

          A
Chorus 1  Stand by me
                F♯m
          Oh, stand by me
                D          E                        A
          Oh, stand,      stand by me,      stand by me.
```

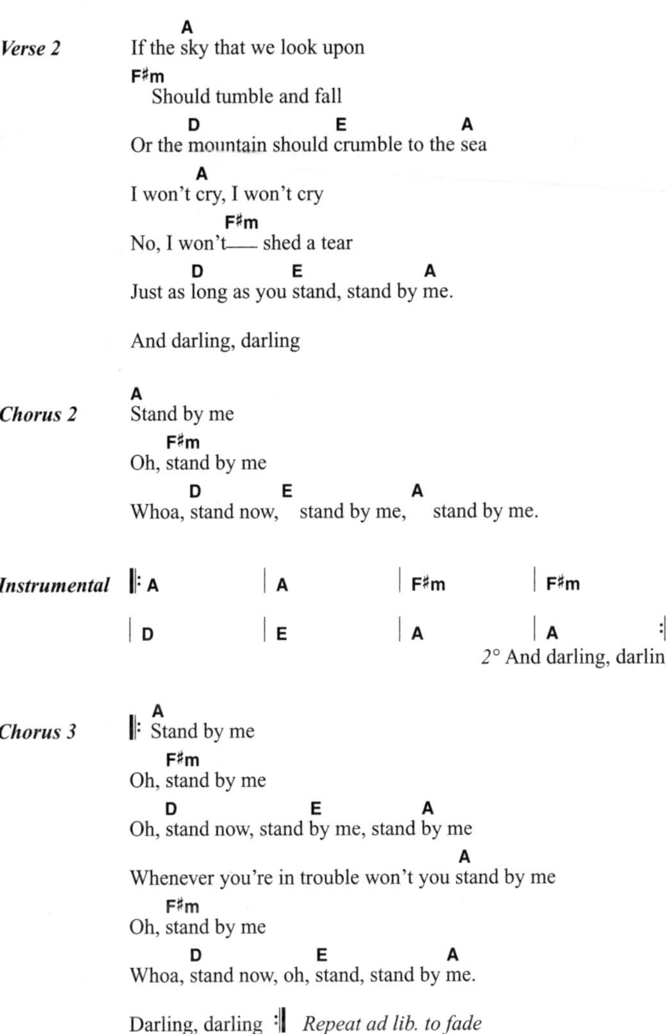

Verse 2

A
If the sky that we look upon
F♯m
Should tumble and fall
D E A
Or the mountain should crumble to the sea
A
I won't cry, I won't cry
F♯m
No, I won't t—— shed a tear
D E A
Just as long as you stand, stand by me.

And darling, darling

Chorus 2

A
Stand by me
F♯m
Oh, stand by me
D E A
Whoa, stand now, stand by me, stand by me.

Instrumental

| A | A | F♯m | F♯m |
| D | E | A | A |

2° And darling, darling

Chorus 3

A
Stand by me
F♯m
Oh, stand by me
D E A
Oh, stand now, stand by me, stand by me
A
Whenever you're in trouble won't you stand by me
F♯m
Oh, stand by me
D E A
Whoa, stand now, oh, stand, stand by me.

Darling, darling *Repeat ad lib. to fade*

San Francisco (Be Sure To Wear Some Flowers In Your Hair)

Words & Music by John Phillips

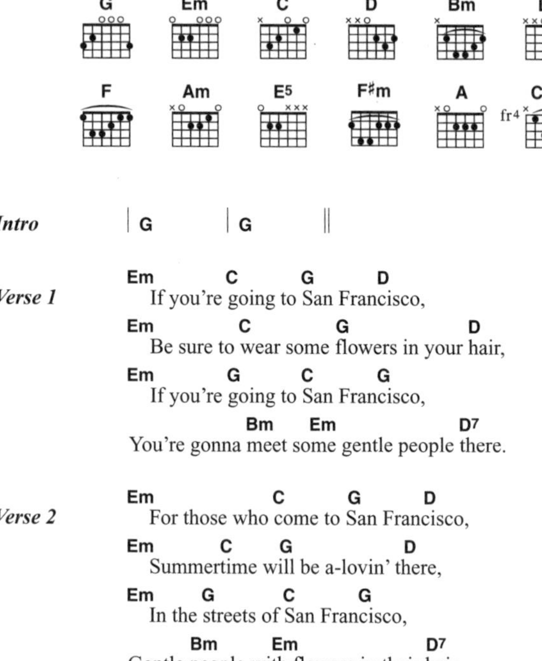

Intro | G | G ||

Verse 1

Em C G D
If you're going to San Francisco,
Em C G D
Be sure to wear some flowers in your hair,
Em G C G
If you're going to San Francisco,
Bm Em D7
You're gonna meet some gentle people there.

Verse 2

Em C G D
For those who come to San Francisco,
Em C G D
Summertime will be a-lovin' there,
Em G C G
In the streets of San Francisco,
Bm Em D7
Gentle people with flowers in their hair.

Middle

```
F
   All across the nation, such a strange vibration,
G
   People in motion;
F
   There's a whole generation with a new explanation,
G
   People in motion,
D7
   People in motion.
```

Verse 3

```
Em                  Am  C     G   Bm   D7
   For those who come__  to San Fran - cisco,
Em          C      G               D
   Be sure to wear some flowers in your hair,
Em     G      C      G
   If you come to San Francisco,
         Bm   Em        G
Summertime will be a-lovin' there.
```

Outro

```
| E5      | F#m     |
      A      D      A
If you come to San Francisco,
        C#m  F#m       A
Summertime will be a-lovin' there.

| A       | F#m     | A       | D       | A       ||
                                          To fade
```

Subterranean Homesick Blues

Words & Music by Bob Dylan

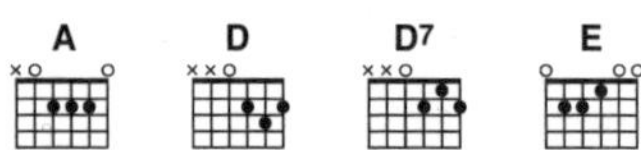

Intro | A | A | A D | A D | A D | A D ||

Verse 1

A   D   A   D
Johnny's in the basement mixing up the medicine
A   D   A   D
I'm on the pavement thinking about the government
     A   D   A   D
The man in the trench coat badge out, laid off
A   D   A
Says he's got a bad cough wants to get it paid off
D7
Look out kid it's somethin' you did,
A   D   A
God knows when but you're doin' it again
     D   A   D
You better duck down the alley way
A   D
Lookin' for a new friend
     E
The man in the coon-skin cap in the big pen
         A   D
Wants eleven dollar bills
A
You only got ten.

Link 1

```
| A  D  | A  D  | A  D  | A  D  ||
```

Verse 2

```
A                    D  A                D
Maggie comes fleetfoot, face full of black soot
A                    D  A              D
Talkin' that the heat put plants in the bed but
    A                   D    A                    D
The phone's tapped anyway, Maggie says that many say
     A                  D   A
They must bust in early May, orders from the D. A.
D7
Look out kid don't matter what you did
A               D   A       D
Walk on your tip toes, don't try "No Doz",
A                     D         A
Better stay away from those that carry around a fire hose
E
   Keep a clean nose, watch the plain clothes
    A                    D
You don't need a weather man
   A
To know which way the wind blows
```

Link 2

```
| A  D  | A  D  | A  D  | A  D  ||
```

```
            A               D    A                      D
Verse 3     Get sick, get well hang around a ink well
            A                     D    A                        D
            Ring bell hard to tell if anything is goin' to sell
            A               D         A                D
            Try hard, get barred, get back, write braille
            A                   D    A
            Get jailed, jump bail, join the army if you fail
            D7
            Look out kid you're gonna get hit
                 A              D    A          D
            But users, cheaters, six-time losers
            A                     D
            Hang around the theaters.
            E
            Girl by the whirlpool looking for a new fool
            A                 D
            Don't follow leaders
            A
            Watch the parkin' meters

Link 3      | A  D  | A  D  | A  D  | A  D  ||
```

```
                 A                  D
Verse 4          Ah get born, keep warm
                 A             D      A
                 Short pants, romance, learn to dance
                     D        A                   D    A
                 Get dressed, get blessed, try to be a success
                       D    A                D
                 Please her, please him, buy gifts
                 A
                 Don't steal, don't lift

                 Twenty years of schoolin'
                 D        A
                 And they put you on the day shift
                 D7
                 Look out kid they keep it all hid
                       A                D    A                  D
                 Better jump down a manhole, light yourself a candle
                 A              D    A
                 Don't wear sandals, try to avoid the scandals
                 E
                   Don't wanna be a bum, you better chew gum
                     A               D
                 The pump don't work
                           A
                 'Cause the vandals took the handles


Coda             ||: A   D  | A   D  :||  Repeat to fade
```

Summer In The City

Words & Music by John Sebastian, Mark Sebastian & Steve Boone

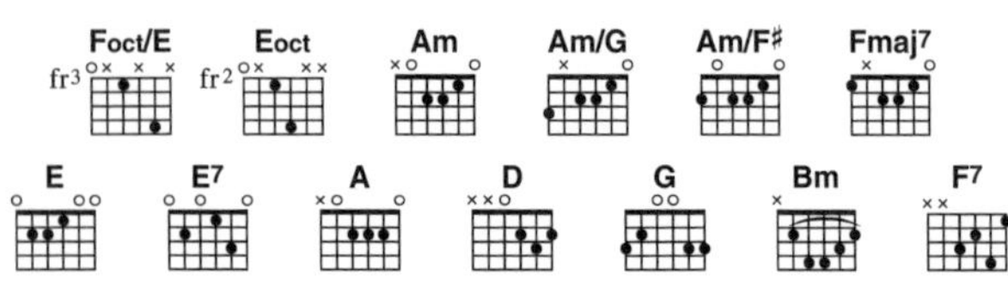

Capo third fret

Intro | Foct/E Eoct | Foct/E Eoct | Foct/E Eoct ‖

Verse 1

```
Am          Am/G
   Hot town, summer in the city
Am/F♯                       Fmaj7     E
Back of my neck getting burnt and gritty,
Am           Am/G
   Been down, isn't it a pity,
Am/F♯                   Fmaj7
Doesn't seem to be a shadow in the city.
E                E7
   All around people looking half dead
Am                        A
Walkin' on the sidewalk, hotter than a match head...
```

Chorus 1

```
D                        G
   But the night it's a different world,
D              G
   Go out and find a girl,
D                          G
Come on, come on and dance all night,
D                      G
Despite the heat it'll be alright.
      Bm                 E
And babe, don't you know it's a pity
      Bm         E
The days can't be like the nights,
        Bm           E
In the summer, in the city,
        Bm           E
In the summer, in the city.
```

Verse 2

Am **Am/G**
Cool town, evening in the city
Am/F♯ **Fmaj7** **E**
Dress so fine and looking so pretty
Am **Am/G**
Cool cat, looking for a kitty
Am/F♯ **Fmaj7**
Gonna look in every corner of the city
E **E7**
Till I'm wheezing like a bus stop
Am **A**
Running up the stairs, gonna meet you on the rooftop.

Chorus 2 As Chorus 1

Instr.

| Am | F7 | Am | F7 | N.C. ||

||: Am Am/G | Am/F♯ Fmaj7 E :||

Verse 3 As Verse 1

Chorus 3 As Chorus 1

Outro

| Am | F7 | Am | F7 | N.C. ||

||: Am Am/G | Am/F♯ Fmaj7 E :|| *Play 4 times*

| E E7 | Am A | $\frac{2}{4}$ A ||

$\frac{4}{4}$ ||: Bm | A :|| *Repeat to fade*

Sunshine Of Your Love

Words & Music by Jack Bruce, Pete Brown & Eric Clapton

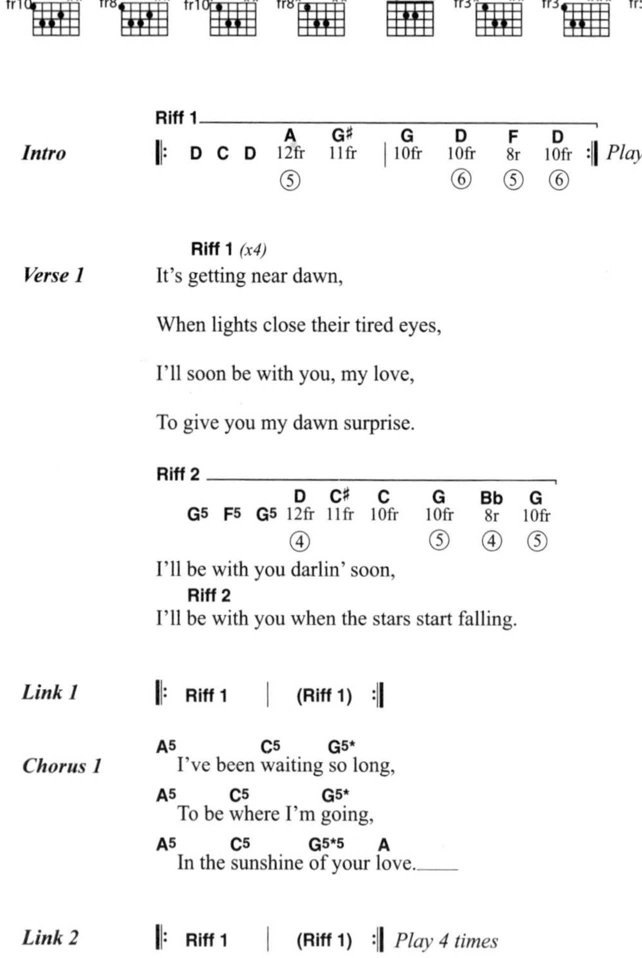

D fr10 | C fr8 | G5 fr10 | F5 fr8 | A5 | C5 fr3 | G5* fr3 | D5 fr5

Riff 1

Intro 𝄆 D C D A 12fr (5) G♯ 11fr | G 10fr D 10fr (6) F 8r (5) D 10fr (6) 𝄇 *Play 8 times*

Riff 1 *(x4)*

Verse 1 It's getting near dawn,

When lights close their tired eyes,

I'll soon be with you, my love,

To give you my dawn surprise.

Riff 2

G5 F5 G5 D 12fr (4) C♯ 11fr C 10fr G 10fr (5) Bb 8r (4) G 10fr (5)

I'll be with you darlin' soon,

Riff 2

I'll be with you when the stars start falling.

Link 1 𝄆 Riff 1 | (Riff 1) 𝄇

Chorus 1

A5 C5 G5*
I've been waiting so long,

A5 C5 G5*
To be where I'm going,

A5 C5 G5*5 A
In the sunshine of your love.____

Link 2 𝄆 Riff 1 | (Riff 1) 𝄇 *Play 4 times*

Riff 1 *(x4)*

Verse 2 I'm with you my love,

The light's shining through on you.

Yes, I'm with you my love,

It's the morning and just we two.

Riff 2 *(x2)*

I'll stay with you darling now,

I'll stay with you till my seeds are dried up.

Link 3 As Link 1

Chorus 2 As Chorus 1

Guitar solo

‖: **Riff 1** | **(Riff 1)** :‖ *Play 4 times*

‖: **Riff 2** | **(Riff 2)** :‖‖: **Riff 1** | **(Riff 1)** :‖

‖: **A5** | **C5 G5*** :‖ *Play 3 times*

| **A5** ‖

Link 4 As Link 1

Verse 3 As Verse 2

Link 5 As Link 1

Chorus 3

A5 I've been **C5** waiting **G5*** so long,

A5 I've been **C5** waiting **G5*** so long,

A5 To be **C5** where I'm **G5*** going,

A5 In the **C5** sunshine of **G5*** your love.____

Outro (Double time) ‖: **A5** | **A5** :‖ *Play 4 times to fade*

Sunshine Superman

Words & Music by Donovan Leitch

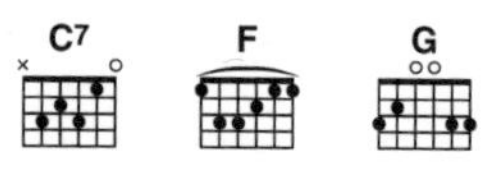

Capo first fret

Intro | C7 | C7 | C7 | C7 |
| C7 | C7 | C7 | C7 ||

Verse 1
C7
Sunshine came softly through my window today.

Could've tripped out easy but I've, I changed my way.
F
It'll take time I know it, but in a while
C7
You're gonna be mine I know it, we'll do it in style.

Chorus 1
G F C
'Cause I made my mind up you're going to be mine, I'll tell you right n

Any trick in the book now baby, oh that I can find.

Verse 2
C7
Superman or Green Lantern ain't got nothin' on me,

I can make like a turtle and dive for pearls in the sea.
F
Ah, you can just sit there thinkin' on your velvet throne, yes,
C7
About all the rainbows that you can have for your own.

Chorus 2
G F
'Cause I made my mind up you're going to be mine,
C7
I'll tell you right now

Any trick in the book now baby, oh that I can find.

Verse 3

C7
Everybody's hustlin' just to have a little scene.

When I say we'll be cool, I think that you know what I mean.

F
We stood on a beach at sunset, do you remember when?

C7
I know a beach where baby oh, it never ends.

Chorus 3

G F
When you've made your mind up, for - ever to be mine,

C7
Mm - mm - mm - mm,

I'll pick up your hand and slowly blow your little mind.

G F
'Cause I made my mind up, you're going to be mine,

C7
I'll tell you right now,

Any trick in the book now baby, oh that I can find.

Guitar solo

C7	C7	C7	C7
C7	C7	C7	C7
F	F	F	F
C7	C7	C7	C7
G	G	F	F
C7	C7	C7	C7	

Verse 4

C7
Superman or Green Lantern ain't got a nothin' on me.

I can make like a turtle and dive for your pearls in the sea, yep.
F
   Ah you, you, you, can just sit there well thinkin' on your velvet thr
C7
   About all the rainbows a-you can a-have for your own.

Chorus 4

G   F
When you've made your mind up for - ever to be mine,
                    C7
Mm - mm - mm - mm,

I'll pick up your hand and slowly blow your little mind.
G   F
When you've made your mind up, for - ever to be mine,
                  C7
I'll pick up your hand,

I'll pick up your hand and slowly blow your little mind,

Blow your little mind...

Outro

| C7 | C7 | C7 | C7 ‖ *To fade*

Substitute

Words & Music by Pete Townshend

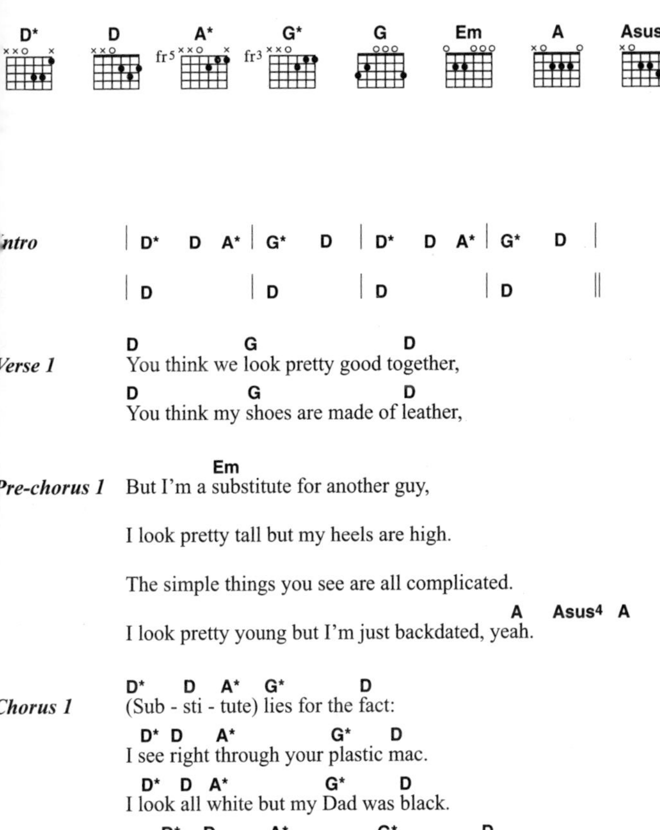

Intro

| D* D A* | G* D | D* D A* | G* D |

| D | D | D | D ||

Verse 1

D G D
You think we look pretty good together,
D G D
You think my shoes are made of leather,

Pre-chorus 1

Em
But I'm a substitute for another guy,

I look pretty tall but my heels are high.

The simple things you see are all complicated.
A Asus4 A
I look pretty young but I'm just backdated, yeah.

Chorus 1

D* D A* G* D
(Sub - sti - tute) lies for the fact:
D* D A* G* D
I see right through your plastic mac.
D* D A* G* D
I look all white but my Dad was black.
D* D A* G* D
My fine-looking suit is really made out of sack.

Verse 2

D G D
I was born with a plastic spoon in my mouth,
D G D
North side of my town faced east and the east was facing south.

Pre-chorus 2

Em
And now you dare to look me in the eye

But crocodile tears are what you cry.

If it's a genuine problem you won't try

To work it out at all, just pass it by,
A Asus4 A
Pass it by.

Chorus 2

D* D A* G* D
(Sub - sti - tute) me for him,
D* D A* G* D
(Sub - sti - tute) my Coke for gin.
D* D A* G* D
(Sub - sti - tute) you for my Mum,
D* D A* G* D
At least I'll get my washing done.

Solo	𝄆 D | G | D | D 𝄇
Pre-chorus 3	As Pre-chorus 1
Link	𝄆 D* D A* | G* D | D* D A* | G* D 𝄇
Verse 3	As Verse 2
Pre-chorus 4	As Pre-chorus 2
Chorus 3	As Chorus 2
Chorus 4	As Chorus 1

Those Were The Days

Words & Music by Gene Raskin

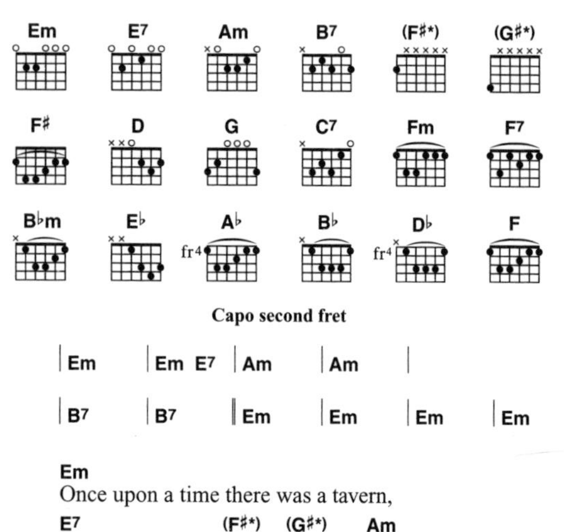

Capo second fret

Intro | Em | Em E7 | Am | Am |
| B7 | B7 ‖ Em | Em | Em | Em |

Verse 1
Em
Once upon a time there was a tavern,
E7 (F♯*) (G♯*) Am
Where we used to raise a glass or two
Em
Remember how we laughed away the hours
F♯ B7
And dreamed of all the great things we would do.

Chorus 1
Em
Those were the days, my friend
Am
We thought they'd never end,
D G
We'd sing and dance forever and a day.
Am
We'd live the life we choose
Em
We'd fight and never lose,
B7 Em
For we were young and sure to have our way.
Em
La la la la la la,

cont.

Am
La la la la la la,
B7
La la la la,
Em | Em |
La la la la la la.

Verse 2

Em
Then the busy years went rushing by us,
E7 (F♯*)(G♯*) Am
We lost our starry notions on the way,
Em
If by chance I'd see you in the tavern
F♯ B7
We'd smile at one another and we'd say:

Chorus 2

Em
Those were the days, my friend
Am
We thought they'd never end,
D G
We'd sing and dance forever and a day.
Am
We'd live the life we choose
Em
We'd fight and never lose,
B7
Those were the days,
Em
Oh yes those were the days.
Em
La la la la la la,
Am
La la la la la la,
B7
La la la la,
Em | Em |
La la la la la la.

Verse 3

Em
Just tonight I stood before the tavern,
E7 (F♯*) (G♯*) Am
Nothing seemed the way it used to be,
Em
In the glass I saw a strange reflection
F♯ B7
Was that lonely woman really me?

Chorus 3

```
                    Em
Those were the days, my friend
                         Am
We thought they'd never end,
                 D                      G
We'd sing and dance forever and a day.
                 Am
We'd live the life we choose
                  Em
We'd fight and never lose,
                  B7
Those were the days,
                               Em
Oh yes those were the days.
            Em
La la la la la la,
            Am
La la la la la la,
            D
La la la la,
                 G
La la la la la la.
            Am
La la la la la la,
            Em
La la la la la la,
            B7
La la la la,
            Em
La la la la la la.
```

Link

```
| Em    | C7    | C7    | Em    | Em    |
| C7    || Fm   | Fm    | Fm    | Fm    |
```

Verse 4

```
Fm
Through the door there came familiar laughter,
 F7                                         B♭m
I saw your face and heard you call my name
                                 Fm
Oh, my friend, we're older but no wiser
   G                                      C7
For in our hearts the dreams are still the same.
```

Chorus 4

```
                Fm
Those were the days, my friend
                     B♭m
We thought they'd never end,
                E♭                  A♭
We'd sing and dance forever and a day.
                B♭m
We'd live the life we choose
                Fm
We'd fight and never lose,
                C7
Those were the days,
                       Fm
Oh yes those were the days.
         Fm
La la la la la la,
         B♭m
La la la la la la,
         E♭
La la la la,
              A♭
La la la la la la.
         B♭m
La la la la la la,
         Fm
La la la la la la,
         C7
La la la la,
         Fm
La la la la la la.
```

Outro

| Fm | A♭ | A♭ | B♭ | D♭ | F ||

Time Is On My Side

Words & Music by Norman Meade

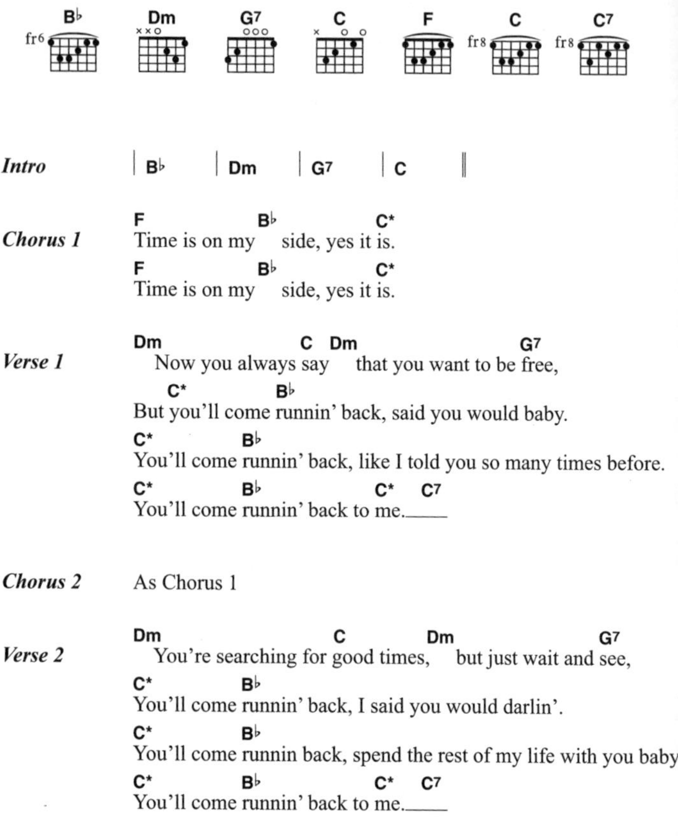

Intro | B♭ | Dm | G7 | C ||

Chorus 1

```
F                  B♭              C*
Time is on my      side, yes it is.
F                  B♭              C*
Time is on my      side, yes it is.
```

Verse 1

```
Dm                          C   Dm                      G7
   Now you always say       that you want to be free,
    C*             B♭
But you'll come runnin' back, said you would baby.
C*             B♭
You'll come runnin' back, like I told you so many times before.
C*             B♭               C*     C7
You'll come runnin' back to me.____
```

Chorus 2 As Chorus 1

Verse 2

```
Dm                                C             Dm                    G7
   You're searching for good times,     but just wait and see,
C*             B♭
You'll come runnin' back, I said you would darlin'.
C*             B♭
You'll come runnin back, spend the rest of my life with you baby.
C*             B♭               C*     C7
You'll come runnin' back to me.____
```

Bridge 1

B♭
Go ahead baby, go ahead,
F
Go ahead and light up the town.
B♭ F
Baby, do anything your heart desires,

Remember, I'll always be around.
B♭ Dm
And I know, and I know, like I told you so many times before,

You're gonna come back,
G7
Yeah, you're gonna come back baby,
C
Knockin', yeah knockin' right on my door, yeah.

Chorus 3

As Chorus 1

Verse 3

Dm C Dm G7
'Cause I got the real love, the kind that you need.
C* B♭
You'll come runnin' back, I knew you would one day.
C* B♭
You'll come runnin' back, I told you before.
C* B♭ C*
You'll come runnin' back to me.____

Outro

F B♭ C*
Yeah, time, time, time is on my side, yes it is.
F B♭ C*
Said time, time, time is on my side, yes it is.
F B♭ C F
Said time, time, time is on my side.____

Tobacco Road

Words & Music by John D. Loudermilk

D A♭ C E F F♯ G7 D7

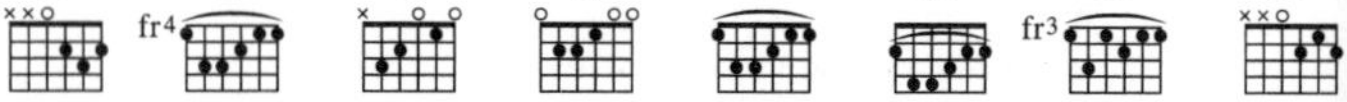

fr4 fr3

Intro | (D) | (A♭) | (D) C | D C | D C | D C ||

Verse 1

D C D C
I was born in a bunk,
D C D C
Momma died and Daddy got drunk.
D C D C
Left me here to die or grow
D N.C. C
In the middle of Tobacco Road.____

Verse 2

D C D C
Grew up in a rusty shack,
D C D C
All I had was hanging on my back.
D C D C
Only you know how I loathe
D N.C. E F
This place called Tobacco Road._____

Bridge 1

F♯ G7
But it's home,
D7
The only life I've ever known.
G7
Only you know how I loathe
N.C.
Tobacco (Road.)

Piano solo | (D) | (A♭) |: D C | D C | D C |
Road.

| D C | D C :| D C ||

Verse 3

```
D                    C   D           C
   Gonna leave,          get a job,
D                  C      D                  C
   With a-help and the grace from above.
D                        C   D            C
   Save some money, get   rich I know
D  N.C.                                  C
   Bring it back to Tobacco Road.____
```

Verse 4

```
D               C   D              C
   Bring dynamite   and a crane,
D               C        D            C
   Blow it  up, start  all over again,
D                  C   D              C
   Build a town be     proud to show,
D  N.C.                                E  F
   Give the name Tobacco Road.____
```

Bridge 2

```
         F#  G7
'Cause it's home,
                           D7
The only life I've ever known,
                                G7
I despise you 'cause you're filthy
                 N.C.
But I loves you 'cause you're (home.)
```

Coda

```
| (D)     | (A♭)    | D    C | D    C | D    C |
  home.

| D    C | D    C | D    C ||
                      To fade
```

Under The Boardwalk

Words & Music by Art Resnick & Kenny Young

G D C Em

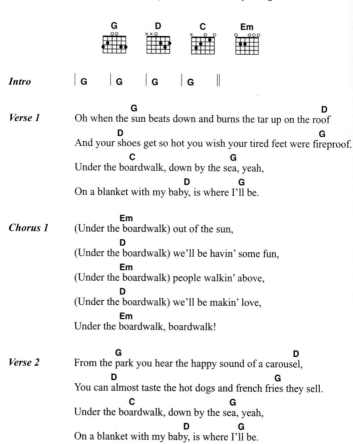

Intro | G | G | G | G ||

Verse 1

```
                 G                                    D
Oh when the sun beats down and burns the tar up on the roof
              D                                          G
And your shoes get so hot you wish your tired feet were fireproof.
                C                    G
Under the boardwalk, down by the sea, yeah,
                               D        G
On a blanket with my baby, is where I'll be.
```

Chorus 1

```
               Em
(Under the boardwalk) out of the sun,
               D
(Under the boardwalk) we'll be havin' some fun,
               Em
(Under the boardwalk) people walkin' above,
               D
(Under the boardwalk) we'll be makin' love,
              Em
Under the boardwalk, boardwalk!
```

Verse 2

```
              G                                    D
From the park you hear the happy sound of a carousel,
            D                                   G
You can almost taste the hot dogs and french fries they sell.
                C                    G
Under the boardwalk, down by the sea, yeah,
                               D        G
On a blanket with my baby, is where I'll be.
```

Chorus 2

```
              Em
(Under the boardwalk) out of the sun,
              D
(Under the boardwalk) we'll be havin' some fun,
              Em
(Under the boardwalk) people walkin' above,
              D
(Under the boardwalk) we'll be makin' love,
              Em
Under the boardwalk, boardwalk!
```

Instrumental

```
| G    | G    | D    | D    |
| D    | D    | G    | G    ||
```

Verse 3

```
                C                     G
Under the boardwalk, down by the sea, yeah,
                              D       G
On a blanket with my baby, is where I'll be.
```

Chorus 3

```
              Em
(Under the boardwalk) out of the sun,
              D
(Under the boardwalk) we'll be havin' some fun,
              Em
(Under the boardwalk) people walkin' above,
              D
(Under the boardwalk) we'll be fallin' in love,
              Em
Under the boardwalk, boardwalk!
```

Walk Away Renee

Words & Music by Bob Calilli, Michael Lookofsky & Tony Sansone

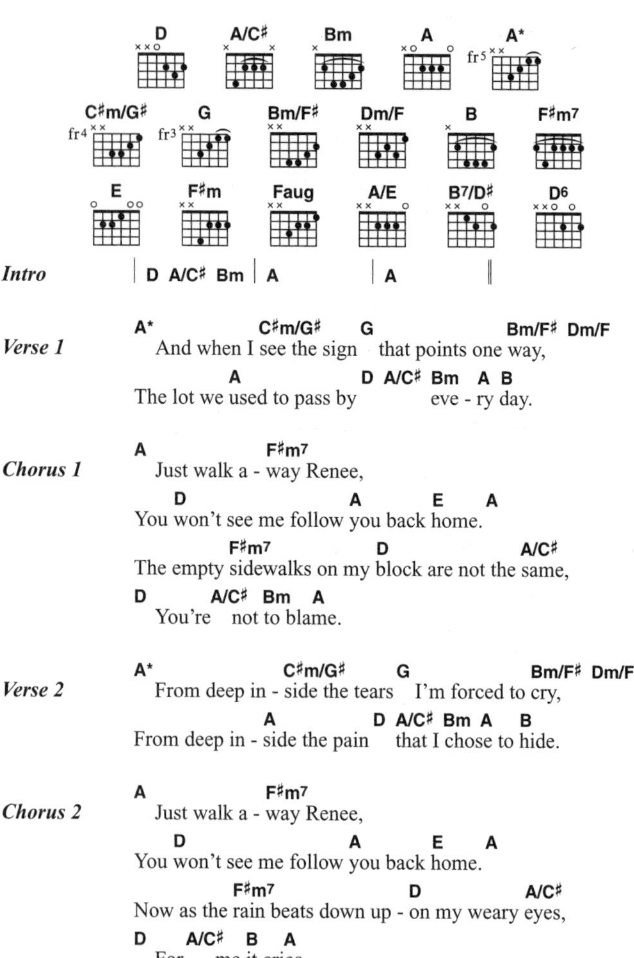

Intro | D A/C♯ Bm | A | A ||

Verse 1

A* C♯m/G♯ G Bm/F♯ Dm/F
And when I see the sign that points one way,
A D A/C♯ Bm A B
The lot we used to pass by eve - ry day.

Chorus 1

A F♯m7
Just walk a - way Renee,
D A E A
You won't see me follow you back home.
F♯m7 D A/C♯
The empty sidewalks on my block are not the same,
D A/C♯ Bm A
You're not to blame.

Verse 2

A* C♯m/G♯ G Bm/F♯ Dm/F
From deep in - side the tears I'm forced to cry,
A D A/C♯ Bm A B
From deep in - side the pain that I chose to hide.

Chorus 2

A F♯m7
Just walk a - way Renee,
D A E A
You won't see me follow you back home.
F♯m7 D A/C♯
Now as the rain beats down up - on my weary eyes,
D A/C♯ B A
For me it cries.

Interlude | F♯m | Faug | A/E | B7/D♯ |

| D6 | A/C♯ | D6 | B ||

Chorus 3

A F♯m7
Just walk a - way Renee,

D A E A
You won't see me follow you back home.

F♯m7 D A/C♯
Now as the rain beats down up - on my weary eyes,

D A/C♯ B A
For me it cries.

Verse 3

A* C♯m/G♯ G Bm/F♯ Dm/F
Your name and mine inside a heart on a wall,

A D A/C♯ Bm A B
Still finds a way to haunt me, though they're so small.

Chorus 4

A F♯m7
Just walk a - way Renee,

D A E A
You won't see me follow you back home.

F♯m7 D A/C♯
The empty sidewalks on my block are not the same,

slower

D A/C♯ Bm A
You're not to blame.

White Rabbit

Words & Music by Grace Slick

F♯ G (fr3) A C D E

Intro ||: F♯ | F♯ | G | G :||

Verse 1

F♯
One pill makes you larger,
G
And one pill makes you small
F♯
And the ones that mother gives you,
G
Don't do anything at all

Chorus 1

A
Go ask Alice,
C D A
When she's ten feet tall.

Verse 2

F♯
And if you go chasing rabbits,
G
And you know you're going to fall,
F♯
Tell 'em a hookah-smoking caterpillar
G
Has given you the call.

Chorus 2

A
And call Alice,
C D A
When she was just small.

Middle

```
E
   When the men on the chessboard
           A
Get up and tell you where to go,
            E
And you've just had some kind of mushroom
          A
And your mind is moving low.
```

Chorus 3

```
       F♯
Go ask Alice,

I think she'll know.
```

Verse 3

```
F♯
   When logic and proportion
      G
Have fallen sloppy dead
         F♯
And the white knight is talking backwards
         G
And the red queen's off with her head.
```

Outro

```
   A       C         D         A
Remember   what the dormouse said,
 E         A    E        A
"Feed your head, feed your head."
```

A Whiter Shade Of Pale

Words by Keith Reid
Music by Gary Brooker & Matthew Fisher

C Em/B Am C/G F F/E Dm

Dm/C G G/F Em G7/D F/G G7

Intro

| C Em/B | Am C/G | F F/E | Dm Dm/C |

| G G/F | Em G7/D | C F | G |

Verse 1

```
C       Em/B                Am        C/G
   We skipped the light fandango
F          F/E                          Dm      Dm/C
   And turned cartwheels across the floor,
G          G/F                Em       G7/D
   I was feeling kind of seasick
C              Em/B             Am                C/G
   But the crowd called out for more.
F          F/E                     Dm        Dm/C
   The room was humming harder
G              G/F                Em  G7/D
   As the ceiling flew away,
C                  Em/B              Am       C/G
   When we called out for another drink
F              F/E              Dm
   The waiter brought a tray.
```

Chorus 1

```
G              C    Em/B        Am    C/G
And so it was, ___ that later, ___
F              F/E              Dm   Dm/C
   As the miller told his tale,
G    G/F                        Em              G7/D
   That her face, at first just ghostly,
               C        F             C      G7
Turned a whiter   shade of pale.
```

Instrumental | C Em/B | Am C/G | F F/E | Dm Dm/C |

| G G/F | Em G7/D | C F | G |

Verse 2

```
C       Em/B                 Am      C/G
   She said "There is no reason,
F             F/E                Dm     Dm/C
   And the truth is plain to see,"
G         G/F                      Em             G7/D
   But I wandered through my playing cards,
C            Em/B         Am     C/G
   And would not let her be
F           F/E            Dm        Dm/C
   One of sixteen vestal virgins
G                  G/F                Em   G7/D
   Who were leaving for the coast,
C           Em/B          Am           C/G
   And although my eyes were open
F                  F/E                       Dm
   They might just as well have been closed.
```

Chorus 2 As Chorus 1

Instrumental | C Em/B | Am C/G | F F/E | Dm Dm/C |

| G G/F | Em G7/D | C F | G |

Chorus 3

```
   G7            C   Em/B      Am  C/G
||:   And so it was, __ that later, __
F          F/E          Dm   Dm/C
   As the miller told his tale,
G   G/F                   Em          G7/D
   That her face, at first just ghostly,
              C      F          C
Turned a whiter  shade of pale.   :||
```

Repeat to fade

Wichita Lineman

Words & Music by Jimmy Webb

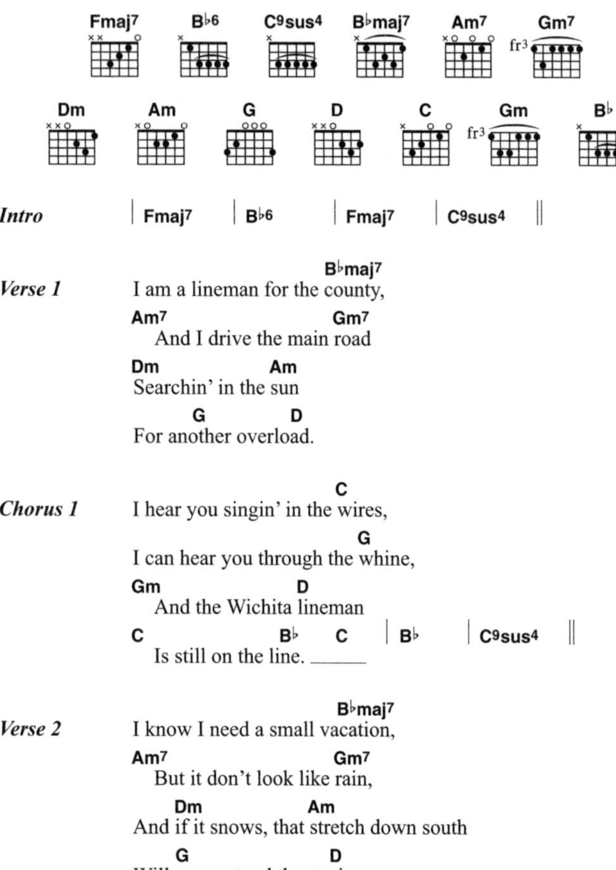

Intro | Fmaj7 | B♭6 | Fmaj7 | C9sus4 ||

Verse 1

B♭maj7
I am a lineman for the county,
Am7 Gm7
And I drive the main road
Dm Am
Searchin' in the sun
G D
For another overload.

Chorus 1

C
I hear you singin' in the wires,
G
I can hear you through the whine,
Gm D
And the Wichita lineman
C B♭ C | B♭ | C9sus4 ||
Is still on the line. ______

Verse 2

B♭maj7
I know I need a small vacation,
Am7 Gm7
But it don't look like rain,
Dm Am
And if it snows, that stretch down south
G D
Will never stand the strain.

```
                                              C
Chorus 2       And I need you more than want you,
                                         G
               And I want you for all time,
               Gm                    D
                  And the Wichita lineman
               C                     B♭    C    | B♭      | C9sus4   ||
                  Is still on the line. ______

Instrumental   | B♭maj7   | Am7      | Gm7      | Dm  Am  |

               | G        | D        | D        ||

                                              C
Chorus 3       And I need you more than want you,
                                         G
               And I want you for all time,
               Gm                    D
                  And the Wichita lineman
               C                     B♭    C    | B♭      | C9sus4   ||
                  Is still on the line. ______

Outro          ||: B♭    | C       | B♭      | C       :||   Repeat to fade
```

With A Girl Like You

Words & Music by Reg Presley

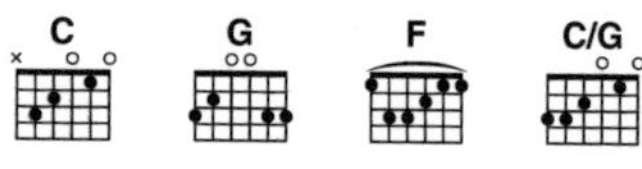

Tune guitar slightly flat

Intro | Em9 | Em9 | Em9 | Em9 ||

Verse 1

```
C/G                   G                C/G
I want to spend my life with a girl like you
                 G
Ba ba ba ba ba,   ba ba ba ba,
C/G           G                       C/G
And do all the things that you want me to
                 G
Ba ba ba ba ba,   ba ba ba ba.
F                   G
   Till that time has come,
     F               G
And we might live as one,
                       C/G
Can I dance with you?
                 G
Ba ba ba ba ba,   ba ba ba ba,
C/G                G
   Ba ba ba ba ba,   ba ba ba ba.
```

Verse 2

```
C/G                       G                      C/G
I tell by the way you dress that you're so real fine,
                 G
Ba ba ba ba ba,   ba ba ba ba
C/G                     G                      C/G
And by the way you talk, that you're just my kind.
                 G
Ba ba ba ba ba,   ba ba ba ba.
F                       G
   Girl, why should it be
```

```
        F                    G
cont.   That you don't notice me?
                        C/G
        Can I dance with you?
                      G
        Ba ba ba ba ba,  ba ba ba ba,
        C/G              G
          Ba ba ba ba ba,  ba ba ba ba.

        F
Bridge    Baby, baby is there no chance
        C
          I can take you for the last dance
        F
          All night long, yeah, I've been waiting,
        G
          Now there'll be no hesitating.

        C/G           G                         C/G
Verse 3 So, before this dance has reached the end,
                      G
        Ba ba ba ba ba,  ba ba ba ba,
          C/G            G                C/G
        To you, across the floor, my love I'll send
                      G
        Ba ba ba ba ba,  ba ba ba ba.
        F                G
          I just hope and pray
            F               G
        That I'll find a way to say,
                        C/G
        Can I dance with you?
                      G
        Ba ba ba ba ba,  ba ba ba ba,
        C/G              G
          Ba ba ba ba ba,  ba ba ba ba.
```

To fade

Wonderful World, Beautiful People

Words & Music by Jimmy Cliff

Intro | D G | D G | D G | D G ||
Yeah, yeah

Chorus 1

```
D               G     D                  G
Wonderful world, beautiful peo - ple,
D                G    D                   G
You and your girl, things could be pretty.
A
But underneath this there is a secret
                       (D)
That nobody can re - veal.
```

Link 1 | D C | G | D C | A ||
(-veal) (Take a)

Verse 1

```
(A)    D             F♯
Take a look at the world
           G                 D
And the state that it's in today.
                         F♯
I am sure you'll a - gree
                   G                A
We all could make it a better way.
           D              F♯
With our love put to - gether,
           D                       A
Ev'ry - body learn to love each other.
```

Pre-chorus

```
                D             G
Instead of fussing and fighting,
D             G
Cheating but biting,
```

```
          D          G         A
[C]ont.   Scandal - ising and hating.

          Baby we could have a…


[C]horus 2  As Chorus 1


[L]ink 2    As Link 1

            (A)       D                 F♯
[V]erse 2   Man and woman, girl and boy,
                G                     D
            Let us try to give a helping hand.
                                 F♯
            This I know and I'm sure,
                      G                          A
            That with love we all could under - stand.
                        D              F♯
            This is our   world, can't you see?
                    G                          A
            Ev'ry - body wants to live and be free.

                          D          G
Pre-chorus 2  Instead of fussing and fighting,
              D         G
              Cheating but biting,
              D         G         A
              Scandal - ising and hating.

              Yeah, we could have a…


Chorus 3      As Chorus 1


Link 3        As Link 1

              A
Outro         Talkin' 'bout the
                 D           G        D          G
              ‖: Wonderful world, beautiful people,
              D                G   D                G
              You and your girl, things could be pretty. :‖  Repeat to fade ad lib.
```

Wondrous Place

Words & Music by Bill Giant & Jeff Lewis

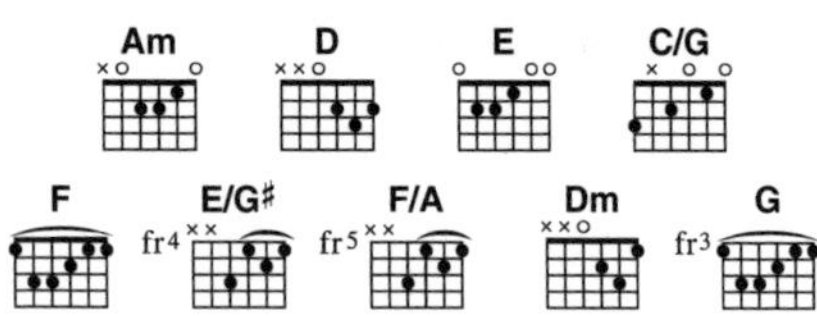

Intro | Am D | Am D | Am D | Am D ||

Verse 1

Am D Am D
I found a place full of charms,____
Am D Am E
A magic world in my baby's arms.
Am C/G F E/G♯ F/A
Her soft em - brace like satin and lace,
N.C.
A wondrous place.

Verse 2

Am D Am D
What a spot in a storm____
Am D Am E
To cuddle up and stay nice and warm.
Am C/G F E/G♯ F/A
Away from harm in my baby's arms,
N.C.
Wondrous place.

Bridge 1

Dm Am
Man I'm nowhere when I'm anywhere else,
Dm G F
But I don't care, everything's right when she holds me tight.

Verse 3

```
Am              D               Am   D
   Her tender hands on my face,
Am       D          Am       E
   I'm in heaven in her em - brace.
Am          C/G          F              E/G♯  F/A
   I wanna stay and ne - ver go a - way,
N.C.
Wondrous place.
```

Verse 4

```
Am D   Am D
Mmmm,______
Am D   Am E
Mmmm,______
Am C/G  F  E/G♯  F/A
Mmmm,___________
N.C.
A wondrous place.
```

Bridge 2 As Bridge 1

Verse 5 As Verse 3

Outro

```
   Am   D  Am   D
𝄆 Mmmm,________
Am   D  Am   D
Mmmm,________ 𝄇  Repeat to fade
```

You Really Got Me

Words & Music by Ray Davies

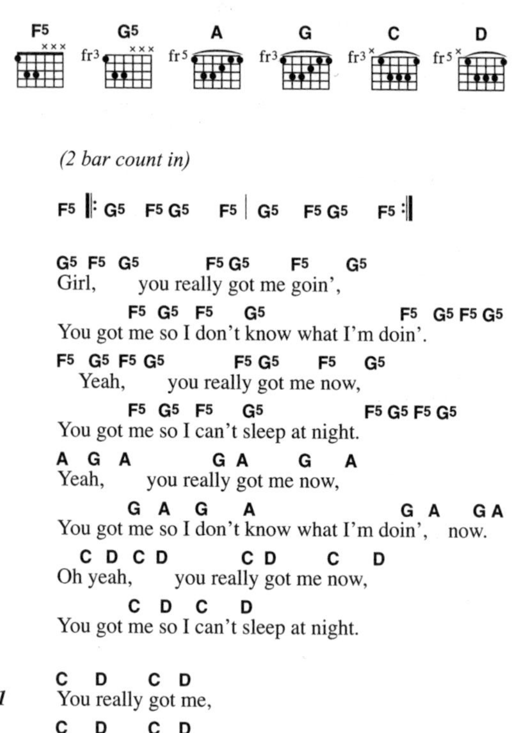

(2 bar count in)

Intro
```
F5 |: G5   F5 G5   F5 | G5   F5 G5   F5 :||
```

Verse 1
```
G5 F5  G5           F5 G5      F5      G5
Girl,      you really got me goin',
                F5  G5  F5    G5                   F5  G5 F5 G5
You got me so I don't know what I'm doin'.
F5  G5 F5 G5           F5 G5      F5     G5
   Yeah,      you really got me now,
                F5  G5  F5    G5             F5 G5 F5 G5
You got me so I can't sleep at night.
A   G   A            G  A       G     A
Yeah,      you really got me now,
                G   A   G     A                  G  A    G A
You got me so I don't know what I'm doin',    now.
   C  D  C  D            C  D       C      D
Oh yeah,      you really got me now,
                C   D   C    D
You got me so I can't sleep at night.
```

Chorus 1
```
C    D      C  D
You really got me,
C    D      C  D
You really got me,
C    D      C  D | C          | (C)        ||
You really got me.
```

Verse 2

```
G5  F5  G5          F5 G5     F5    G5
See,       don't ever set me free,
    F5     G5      F5 G5              F5 G5 F5 G5
I always wanna be by your side.
F5 G5 F5 G5              F5 G5      F5     G5
   Girl,       you really got me now,
          F5  G5  F5     G5                  F5 G5 F5 G5
You got me so I can't sleep at night.
A   G   A            G  A      G     A
Yeah,       you really got me now,
          G   A   G     A                       G  A      G A
You got me so I don't know what I'm doin',     now.
   C  D  C  D         C  D      C     D
Oh yeah,       you really got me now,
          C   D   C    D
You got me so I can't sleep at night.
```

Chorus 2 *As Chorus 1*

Oh no...

***Guitar solo** ‖: G5 F5 G5 F5 | G5 F5 G5 F5 :‖ Play 5 times*

Verse 3 *As Verse 2*

Chorus 3

```
C   D     C  D
You really got me,
C   D     C  D
You really got me,
C   D     C  D
You really got me.
```

You'll Never Walk Alone

Words by Oscar Hammerstein II
Music by Richard Rodgers

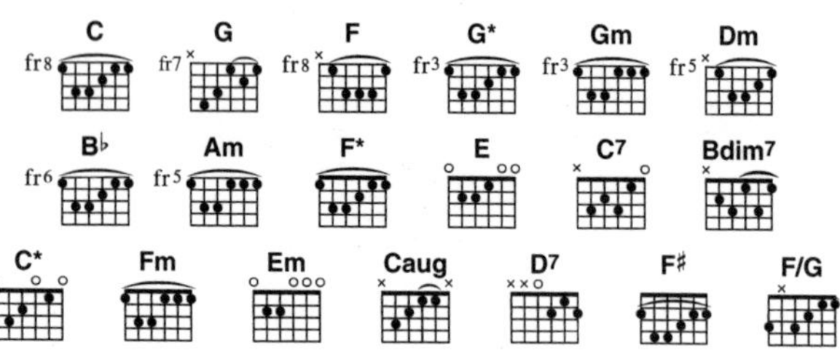

Verse 1

N.C. C
When you walk through a storm
G
Hold your head up high,
F C G* Gm
And don't be a - fraid of the dark.
Dm B♭
At the end of a storm
F Dm
There's a golden sky,
B♭ Am Gm F* E C7
And the sweet silver sound of a lark.

Bridge 1

F* Bdim7
Walk on through the wind,
C* Fm
Walk on through the rain,
C* Em F* G*
Though your dreams be tossed and blown.__

```
              C*                Caug
Chorus 1      Walk on, walk on,
                   F*               D7
              With hope in your heart,
                         C*    Caug  F*    F♯      Em    G*
              And you'll nev - er     walk       a - lone,
                      C*    Caug  F*    G*    C*   G*
              You'll nev - er      walk    a - lone.

                   C*         Caug
Chorus 2      Walk on, walk on,
                   F*               D7
              With hope in your heart
                         C*    Caug  F*    F♯   Em    G*
              And you'll nev - er     walk    a - lone,
                      C*  N.C.   F*     F/G   F*    C*
              You'll nev - er   walk    a  -  lone.___
```

You're No Good

Words & Music by Clint Ballard, Jr

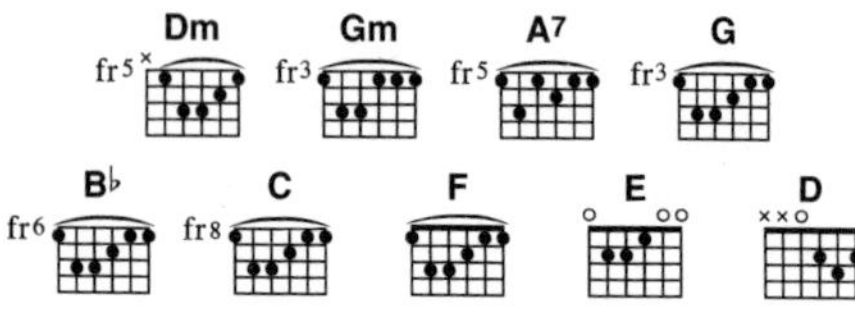

Intro | Dm Gm | Dm A7 | Dm Gm | Dm A7 ||

Verse 1

```
Dm           G         Dm                  G
Feeling bet - ter, now that we're through,
Dm           G            Dm         G
Feeling bet - ter, 'cause I'm over you.
     B♭              C                 F
I've learned my lesson, it left a scar,
     Dm    E               A7
And now I see how you really are.
```

Chorus 1

```
(A7)          Dm                   G                         Dm          G            Dm
You're no good, you're no good, you're no good, baby, you're no go
              Dm      G
I'm gonna say it a - gain.
              Dm                   G                         Dm          G            Dm
You're no good, you're no good, you're no good, baby, you're no go
   Dm    G
Mmmm.____
```

Verse 2

```
Dm        G                  Dm          G
Broke a heart, it was gentle and true,
 Dm    G         Dm               G
I left a girl for someone like you.
    B♭                C              F
I'll beg for for - giveness on bended knee,
    Dm                 E                   A7
But I wouldn't blame her if she said to me.
```

rus 2

(A7) Dm G Dm G Dm G
It's no good, it's no good, it's no good, baby, it's no good.

Dm G
I'm gonna say it again.

Dm G Dm G Dm G
It's no good, it's no good, it's no good, baby, it's no good.

Dm G
Mmmm no good.

lude

| Dm G | Dm G | Dm G | Dm G ||

e3

B♭ C F
Mmmm, if she'll have me, we'll start anew,

Dm E A7
It'll be easy for - geting you.

rus 3

(A7) Dm G Dm G Dm G
You're no good, you're no good, you're no good, baby, you're no good.

Dm G
I'm gonna say it a - loud.

Dm G Dm G Dm G
You're no good, you're no good, you're no good, baby, you're no good.

G Dm G
Oh, oh, oh.

(G) Dm G Dm G
I'm foolin' you now baby and I'm going a - way,

Dm G Dm G
For - get about you baby, I'm leaving to stay.

(G) Dm G Dm G Dm
You're no good, you're no good, you're no good, baby, you're no good.

G Dm G
Hey, hey, hey.

Dm G Dm
You're no good, you're no good, you're no good, baby,

G Dm G D
you're no good.______

Two Little Boys

Words by Edward Madden
Music by Theodore Morse

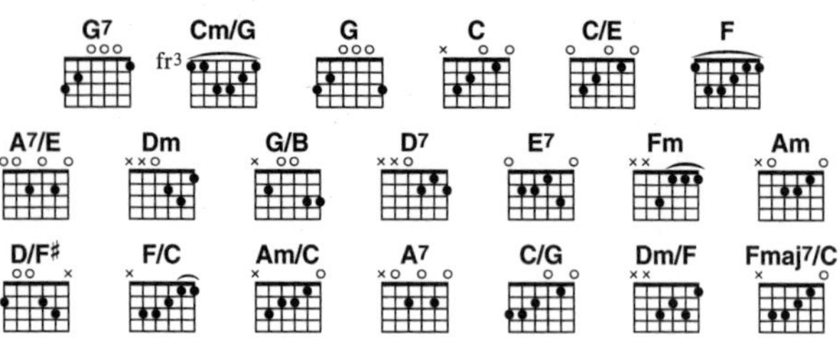

Capo first fret

Intro | G7 Cm/G | G G7 ||

Verse 1

```
C
Two little boys had two little toys,
C/E                   F     A7/E
Each had a wooden horse,
Dm          C/E    Dm  C          G/B
Gaily they played each summer's day,
D7                  G        G7
Warriors, both of course!
C
One little chap then had a mishap,
C/E             E7      F      A7/E
Broke off his horse's head
Dm              Fm        C      E7   Am
Wept for his toy then cried with joy
G        D/F♯   D7          G     G7
As his young playmate said:
```

Chorus 1

C F/C C F/C C
"Did you think I would leave you crying
E7 F A7/E
When there's room on my horse for two?
Dm Am/C Dm
Climb up here Jack, and don't be crying
D7 G G7
I can go just as fast with two.
C F/C C F/C C
When we grow up we'll both be soldiers
E7 F A7/E
And our horses will not be toys
Dm A7 D7
And I wonder if we'll re - member
C/G G7 C
When we were two little boys?"

Verse 2

C
Long years passed, war came so fast,
Dm G G7
Bravely they marched away,
C F/C C Dm/F A7/E
Cannon roared loud and in the mad crowd
D7 G G7
Wounded and dying lay,
C
Up goes a shout, a horse dashes out,
C/E E7 F A7/E
Out from the ranks so blue,
Dm Fm C E7 Am
Gallops a - way to where Joe lay,
D G
Then came a voice he knew:

Chorus 2

C F/C C F/C C
"Did you think I would leave you dying

E7 F A7/E
When there's room on my horse for two?

Dm Am/C Dm
Climb up here Joe, we'll soon be flying

D7 G G7
I can go just as fast with two.

C F/C C F/C C
Did you say Joe, I'm all a tremble?

E7 F A7/E
Perhaps it's the battles noise,

Dm A7 D7
But I think it's that I re - member

C/G G7 C G7
When we were two little boys."

Chorus 3

C/G C
"Did you think I would leave you dying?

C/E E7 F A7/E
There's room on my horse for two

Dm Am/C Dm
Climb up here Joe, we'll soon be flying

D7 G G7
Back to the ranks so blue.

C
Can you feel Joe, I'm all a tremble?

C/E E7 F A7/E
Per - haps it's the battles noise.

Dm A7 D7
But I think it's that I re - member

C/G G7 C G7
When we were two little boys."

Outro | Fmaj7/C | C | C | (C) ||

1 2 3 4 5 6 7 8